THE END

日銀も17省庁も

日本国家は終了しました!

[著] 細川博司 Hiroshi Hosokawa
[疎開先を持て!]

[著] 並河俊夫 Toshio Namikawa
[食から体を守れ!]

[著] 坂の上零 Rei Sakanoue
[独立したマネーを作る!]

並河俊夫

私は『がんは糖質を中心としたたんぱく質、脂肪、そして化学薬品が絡んでいるもの』と解釈しています。

ところで、がんの成分はどんな成分で出来ているのかと疑問に思って、Googleで癌の成分を調べてもGoogleにはがんの成分が出てこない。

しかし、鼻汁や目脂やフケや痰の成分を調べると、これらの成分は糖質とタンパク質と書かれてあり、それらの色は黄色いものです。

これらの成分は『糖とタンパク質』のムチンと言われる混合物です。

がんとムチン(タンパク質と糖質)は同じ成分ではないか、と私は推理しています。

細川博司 ――――――――

アウシュビッツジャパンと言っていますけれども、ワクチンで死者数が出ているというのは、世界の常識なのです。日本だけごまかしが利くので、まだワクチンを打ち続けているのです。ロットによって、濃度は違います。高濃度、中濃度、低濃度があります。

3回目のワクチンからは全部実薬です。1、2回目までは、2割ずつ入っておりました。新薬の治験の作法としては、50%ずつでテストをしないといけません。半々でやるのが、治験なのです。臨床薬学の基礎中の基礎です。

しかしながら今回は、特別承認で強引にやりました。実薬は高濃度、中濃度、低濃度そして0というプラシーボをテストするのが基本です。すなわち、人体実験をされてロットナンバーでどのような症状が出ているかを検証したかったのです。我が国の国民の代表である衆参両院で713名の与野党ともに許可を出してやり始めたのです。

坂の上零

「我が国日本には政府がない」という状態です。私たちは「生かさず殺さず」の状態で生活をして、税金を納めるために存在しているというのは、陰謀論でもなく、事実だと思っております。皆様はどう感じていますか？

政府とは関係なく生き延びていくことが必要なのです。

これからの10年は、京都から始まる新しい地球文明へと移行する過渡期であり、おそらく試練が続くでしょう。

しかし、その後耐え忍べば、ちゃんとまた新しい日本、新しい文明を作っていけます。

地球を平和にする新しい文明は京都から始まりますが、そこまで生き延びないといけないので、パンデミック条約も生き延びないといけないので、皆で助け合って生きないといけない。

だから名字の違う人達が、家族のようになって、助け合って生きる時が来たのです。

この書籍は2023年11月5日に
東京で開催された講演会をまとめたものです。

はじめに　世界を見る新たなレンズ

並河俊夫

本論に入る前に、細川博司先生と坂の上零さんと私並河を含めた3人の講演を聞いていただきますが、その内容には、陰謀論ではないかとか、トリックではないかと皆さんから言われるようなことが含まれています。

私たち日本人はあまりにも欧米文化、いわゆるキリスト教文化に浸りすぎています。特に、欧米を中心とした文化の影響を受けた現代の私たちは物事を捉えるときに欧米の色眼鏡をつけて見る傾向がある。

世の中にはキリスト教文化以外に、イスラムの文化もあれば、ヒンズー教、神道、儒教、仏教等の色々な文化を持った世界がある。

しかし、欧米文化の世界からものを見れば、違った捉え方をした話は、陰謀論だとかトリックで怪しいと思われます。

そこで、頭の切り替えをして物事を別の角度から捉えて、今回の本を読み進めていただければと思います。

目次

Part 1

完全支配

complete domination

complete domination ❶

コロナとワクチンはこうして世界をディストピア化した⁉

complete domination ❷

この国日本に「政府」は存在しない⁉ 民主主義とは新手の最強なる植民地支配のことだったのだ‼

complete domination ❸

米国のドル支配はすでに終わっている！　ＢＲＩＣＳの経済構想に産油国の半分以上が賛同!!　日本国も解散です⁉

complete domination ❹

ディストピアからの脱出!?　急務!!
日本人よ、生き残るためにまず「食」を磨け!!

Part 2
完全崩壊
complete collapse

complete collapse ❶

どっちも地獄⁉ あらゆるものが二極化する超監視社会では、どちらかを選ばなければならない‼

complete collapse ❹
行政が麻薬と注射針を配り、盗み放題の国と化したアメリカ！ ホームレスだらけ！ 売春婦だらけ！ ジャンキーだらけ！ そしてDSの拠点は日本に移されたのです!?

カバーデザイン　森瑞（4Tune Box）
校正　麦秋アートセンター
本文仮名書体　文麗仮名（キャップス）

Part 1

完全支配

complete domination

complete domination

❶

コロナとワクチンはこうして世界をディストピア化した⁉

2000年、あのとき、世界は大混乱の予兆で沸騰していた⁉

坂の上　今日は盛りだくさんです。解決法をもたらさないといけないというのが坂の上でございますので、当然今日は単に今どうなっているのか、そしてこれからどうなるのかだけじゃなくて、脅して終わりではなく、どうすればいいのか？　どうやったら、問題を解決していけるのかというところに最後落とし込んでいき、最後は希望で終わりたいと思っております。

私からの質問です。2000年になるとき私は『天使になった大統領』（ヒカルランド刊）という小説を書いていまして、それは2000年に変わるときに、アメリカ大統領の演説の後に、自由の女神から飛び降り自殺をして、その途中で時間が止まってしまって、そしてニコルソンの大統領の旅が始まるというストーリーなのですが、私は1900年代から2000年に変わるっていうのは、新しい1000年が始まるということで興奮していました。そしてどんな時代が来るのだろうといろんなところで、いろんな方々が話していました。

覚えていますか？　そのときのお話をおふたりに聞いてみたいと思います。細川先生どうでしょうか？

細川　2000年は、今（鼎談《ていだん》時）から23年前です。その当時、私は開業して3年目でした。アメリカでは、ブッシュとゴアが大統領選をしていました。ブッシュとゴアはたくさん揉めて、石油価格の上げ下げがすごかったです。それを思い出しました。

2000年問題というのが、大きかったです。1999から2000と表示が変わった途端にネット上で何かが起こるかもと議論が沸いていました。不安と恐怖を世界中に与えておりました。

アメリカ、イギリスを中心にポスト米英時代はきていると思います。本当は1995年から問題は起こっていたので、そこから30年で2025年問題ということです。2025年は本当だと思います。もう30年悪あがきしていましたから、本当は1995年で大きく変わるべきだったのです。すでに、ポスト米英時代になっていたのですが、悪あがきをして今日23年経っているということでございます。

坂の上 わかりました。細川先生、2000年はポスト米英時代になる。つまり、今までの支配層のパラダイムがゴロリと変わってしまうと思われたということでしょうか？

細川　そういうことです。今日見てそう思いました。今は2023年11月（対談日）ですが、日が延びて今やっと来たと思っています。

坂の上　並河先生は、1999年から2000年に変わるとき、2000年以降の時代はどんな時代になると思われましたか？

気づけ！「豚（日本）は太らせて食え」この波が今この国中に押し寄せてきている⁉

並河　30数年前から日本の医療界も鍼《はり》や整体等を導入し始めておりますが、テレビや新聞等の報道はまだまだ西洋医学一辺倒のように思われます。私は医師ではないので、当然ながら東洋医学的な発想で「足ツボ、気功法、整体、食事療法」の4本柱を中心に皆さまにお伝えしております。

欧米では40数年前から東洋医学的な発想を活用していますが、ひるがえって日本では東洋医学の発想はテレビや新聞などのジャーナリズムでは発信されていませんでした。しかし今後は日本の医療界もジャーナリズムの世界も徐々に東洋医学の発想を取り入れていく時代になるだろうと思われます。

ところで、今回のコロナウイルス問題の前には、がんに関する問題が多く日本で取り上げられていました。欧米の癌治療の世界では、すでに抗がん剤治療はあまり効果がないという風潮になっていましたので、日本もこれからはがん治療の考え方も変わっていくと思われます。

坂の上 並河先生は医学的に西洋医学だけではなく、東洋医学が盛んになってくるのが2000年以降の時代だと思われたわけですね。私は2000年以降の世界がどうなるかというと、今まで地球を支配していたパラダイムが、大きく変わるのですが、変わる前に地球ごと破滅させてしまうような大きな流れになるだろうと思っています。

それは経済、宗教、技術開発、環境、自然科学、そして金融、このようなものを含めて一度終わってしまうだろう。その後に再創造が始まる。つまり、破壊と創造が、同時に起こってくる時代になる。そう思っています。

そして大量に人が死ぬだろうとも思っています。その後新しいまったく違う時代が来るのだけれども、そこに行きつける人はわずかだろうと思っています。


そして現在は2023年になっております。そして直近の3年に至っては、偽パンデミックがあったわけですが、私から言わせれば小泉政権のときからその策略があったと思います。

「豚は太らせてから食え」のスタイルで小泉政権はやっていたと思います。「太った豚をさあ今から食いましょう」という時代になってきたのが、小泉政権からかなと思っております。

「アウシュビッツジャパン!!」 実は幕末からこの画策は始まっていた!?

坂の上 ではこれから、今何が起きているのか？ 世界と日本を取り巻く環境について議論してみたいと思います。

私は、今の日本は、ＴＰＰ締結前までは、植民地のような国でしたけども、今は完全に植民地だと思っています。アウシュビッツジャパンと言っていますけれども、まずは現状を正しく理解するということで、なぜアウシュビッツジャパンなのかというようなことを、いろんな方面から検証してみたいと思います。

細川 遡《さかのぼ》ると、実は幕末からなので、小泉政権や李（竹中）平蔵からではないです。今は、２０２３年なので、幕末の明治維新から１５５年です。

明治維新から77年経って、終戦が１９４５年です。それから78年になりました。小泉政権は２００１年からなので、たった22年前の話です。今まで実らせてきたものを、刈り取りにかかったということです。坂の上さんのおっしゃる通りです。

完全に羊の毛を刈り取りに来ています。それまでは豚を太らせるところまで一生懸命やっていましたが、その先、食べにかかっているのです。命まで奪っているのです。

コロナ禍になって、2022年末までに319万人が殺されたのです。多くがワクチンで殺されたのです。第二次世界大戦時の日本人の死者数300万人と同数程度の人が死んでいるということです。ワクチンで死者が増えているというのは、世界の常識なのです。

2022年に全部明らかになりました。日本だけごまかしが利くので、まだワクチンを打ち続けているのです。ロットによって、濃度は違います。高濃度、中濃度、低濃度があります。

3回目のワクチンからは全部実薬です。1、2回目までは、2割ずつ入っておりました。新薬の治験の作法としては、50%ずつでテストをしないといけません。半々でやるのが、治験なのです。臨床薬学の基礎中の基礎です。

しかしながら今回は、特別承認で強引にやりました。実薬は高濃度、中濃度、低濃度そして0というプラシーボをテストするのが基本です。すなわち、人体実験をされてロットナンバーでどのような症状が出ているかを検証したかったのです。衆参両院で我が国民の代表である713名の与野党議員が許可を出してやり始めたのです。

2021年の2月に医療者優先でワクチンを打ちました。3月は基礎疾患を持っている人を優先して打ちました。「優先」という言葉を聞くと良いものだと思ってしまうと思います。4月からは65歳以上のお年寄りを優先しましょうということになったのです。

2022年からは18歳以上を優先しました。さらに、12歳以上5歳以上0歳児、妊婦にまでワクチンを優先的に打たせると、日本小児科学会と日本産婦人科学会が提唱したわけです。

並河　ここで、皆さんにお尋ねしたいです。ワクチンを一度も打ってない方はどのくらいいらっしゃいますでしょうか？（対談会場には40名ほどおりましたが、打たれていない方がほとんどでした。）やはり意識が高い方が多いです。

新型結核の恐怖にご注意！　チャバンデミックはこうしてまたやってくる!?

細川　並河先生、実は、もう一回騙《だま》される可能性があるのが問題ですので、こちらの話をしてみたいと思います。次は結核です。

新型の未知の新しい異形の結核菌が誕生したということになると思います。これももちろん計画しています。プロパガンダします。なぜならば2022年6月に公益財団法人結核予防会の理事長に尾身茂氏が就任したからでございます。

新型コロナウイルスが茶番というのは、皆さんわかってきたと思います。ただの風邪未満というように考える人が増えてきた。これからはウイルス系では難しいと判断したようで、今度は異形の結核を利用してプロパガンダしていくことが予想されます。さらに結核薬の3剤や4剤は効かないという状況になったら、75歳以上の高齢者がビビってしまうのです。なぜなら、1975年ぐらいまでは国民病だったからです。

結核の恐ろしさは高齢者にとっては常識です。大きな医療法人になっている病院などは、今でも結核の病床を持っているところが多いのです。

次は結核に気をつけていただきたいと思います。またみんなビビリまくります。テレビ、ラジオ、新聞でたくさん嘘をついて、不安と恐怖をあおります。朝から晩まで学者、日本医師会の連中がテレビ、ラジオなどに出演して大きな声でプロパガンダします。

例えば、「私は今63歳ですが。私の父の時代は結核が本当に怖くて、血を吐きながらどんどん死んでいったのです。私どもの病院も、当時はまだ50床ぐらいでしたが、ひっきりなしに三日三晩寝ずに看病しても、効果がなくて死んでいきました。あの時代の結核よりも怖いのが今度の新型の結核なのです」といった感じで朝から晩までテレビ、ラジオで、権威ある学者が出演して、宣伝し続けます。当たらないでほしいですが、私の予想です。

並河　色々なワクチンを接種される流れを見ていますと、3年ほど前（2020年ごろ）のアメリカ・マサチューセッツの研究所が、コロナで亡くなっている方の血液が酸化し、血液のpHが6・0で、血液が酸性化して亡くなっている方が多いと報告している。

そこで、九州で活躍されている医師の細川先生も、血液が酸性化している方は重曹を飲んだほうが良いと説《と》かれていた。その後に出てきた説は、酸化グラフェンによって血管等にスパイクタンパクが出来て、スパイクタンパクが血管を傷つけ、血小板がその傷口を治すために、血栓ができる。

細川 さらにその後出てきた説が、水酸化グラフェンが体の中に入って、代謝されて、水酸化グラフェンになるのです。

その後に血小板とスパイクタンパクが一緒になって、5Gでもって不整脈で倒れてお亡くなりになるのをSNSで3年前に見たのです。私はとても驚きました。

これは本当に未知のウイルスかと思った。そして今回、嘘だとばれてメカニズムもばれたのです。もうすでに食品にまで混ぜられております。

そして昆虫食の推進。コオロギというのは、1000年以上前から、漢方の世界では避妊薬として使われてきたのです。まさにジェノサイドだと思います。

さらに、5歳以上の男の子女の子は自分の意思とは関係なくワクチンを打たれています。小中高大大学院専門学校まで一斉にワクチンを打たせるマーケティングを行いました。教育長を呼んで、各市町村あるいは教育委員会の人も、その気になって「ワクチンを打つんだ」と発言をしていました。そして実際に実行したのです。

プランデミックであり、パンデミックになっています。

今では、チャバンデミック（笑）です。

坂の上　確かに、おっしゃる通りだと思います。実は今起こっていることは前から起こっていたことなのです。ワクチン薬害の問題もコロナで始まったわけではありません。今に始まったことではないのです。

私は10年以上前からワクチンに反対しているのです。反対したい一番の理由は、やはりチップが入っているからなのです。チップを人体に埋め込むことが最終目的であって、そして人類を完全に家畜化する流れがあり、デジタル管理していく流れを止めたいと思っています。

マイナンバーカードについてなぜ反対しているのか。私は、個人情報なのであれば、住所名前といった基本的な情報であれば、承認できますが、さらにクレジットカードや銀行口座などなどあらゆる情報を紐付けようとしている方針に反対しております。完全監視管理社会として利用される恐れがあるからです。中国ではすでに完成しています。いずれ、マネーがチップ化してしまい、最悪の場合、人体にチップを埋め込んでくるのではないかと危惧しております。

細川 アメリカでは15年前から、ソーシャルセキュリティーナンバー（ＳＳＮ）を完全監視管理社会に向かうようには利用できない法律が成立しております。ソーシャルセキュリティーナンバーにクレジットカードや銀行口座の紐付けをする話はありません。そこが大きな違いです。マイナンバーカードだけではありませんが、日本はアメリカの20年遅れでいろんな物事が進みます。とても遅いのです。

出生数が3分の1以下になった日本！　これは意図的なものなのか!?

並河　薬だけではなく、食べ物で体調を整えることも大切になります。私は前から、種無しの食べ物をできるだけ食べないようにしてきました。

昨今、種無しの食べ物が増えましたね。例えば、種無しスイカ、種無し柿、種無しブドウ、種無し米（白米）などがあります。

私たちが一番多く食べているのは、やはり種無し米の「白米」になると思います。玄米には種がありますが、白米には種がないのです。ですから白米を蒔いてもお米はできません。

その点でいえば、白米はF1種に通じますね。

さらに、卵も無精卵（種無し）が多く流通しております。一方、有精卵（種あり）と表記されていたら、少し高くても売れるように、種無しに相当する無精卵の卵が不自然であることに皆さんも気がついてきたようです。

ところで、日本の2022年の出生数が過去最低（当時）の約77万人です。第1次ベビーブームのときの1949年の出生数は269万人でしたから、2022年の出生数は第1期ベビーブームのときに比べると約190万人少ない。

この出生数の減少は、単に子供を作る環境が厳しいということだけではないのではないか。それは子供を作らないではなくて、子供ができないのではないか。現に子供さんがいない若い夫婦は、犬猫を飼われている方がとても多い。経済的に苦しいならば、犬猫も飼うことができません。

しかしながら、出生数は1949年にピークを迎えて、高度経済成長期の1971年には、第二次ベビーブームが始まり約200万人。そこから平成に入って、約120万人になり。2022年には先ほど述べましたように約77万人になってしまいました。80万人を切る時代になったのです。

この原因は経済的なことだけではなく、食品の添加物や保存料等にあると考えられます。

また、食事の面から見ていると、種無しの食材を食べ続けることも大きな原因かもしれないし、さらに世界の人口が80億になったため、国際的な政治や経済的なこともあって、若者の体質が変わったのではないか。いや、変えられたのではないか。

人間をはじめ、動物は生きるために肝臓に栄養を蓄えて生きている。さらに最も大切なこととして、子孫を残すことは自然の本能です。即ち、子孫を残すために、私たちの体は脳や肝臓等だけでなく、卵巣精巣（生殖器）にも溜めるという大きな仕事をしています。

実は、牛や鶏も同じなのです。今では牛や鶏などに抗生物質などの化学薬品を与えていますから、牛や鶏にも肝臓にとても多くの毒素（薬品）が溜まっているのです。さらに卵巣にも溜まります。ということは、鶏の卵巣である卵や肝臓であるレバーには色々な薬品が蓄積されています。そのような卵やレバーを今の人たちは食べているのです。

ですから、皆さんがこれから卵を購入されるときは、有精卵（種あり）の卵を優先的に購入されることはもちろん、他の食品である柿やブドウや米等を購入されるときには、添加物や保存料等が少ないだけではなく、種ありのものを購入していただきたいですね。値段は高いですが、体のことを考えたならば、無精卵（種無し）よりやはり種ありのものが大切ですね。

ワクチンは人間より前に家畜（豚、牛、鶏、魚）に打っている!?

坂の上　卵に関して、私どもドクターオーガニックNAUを運営していますが、無精卵を扱っていないのです。今卵業界で何が起こっているかというと、とても深刻な問題なのですが、卵がほとんどなくなってきております。

私は今リアルタイムで、ある取引先から10個入り卵を2万パック毎週供給してくれないかと言われて、探しております。そのような状況で卵の供給がとても下がってきているので、卵の値段がとても上がってきております。大手企業の某○○からの仕入れ値がすでに（2023年11月現在）1パック190円を超えております。

すなわち、2024年には200円（仕入れ値）を超えると思われます。すなわち、一般消費者の皆さまは、これから300円以下では卵が買えない時代がやってくる可能性が高いのです。有精卵と無精卵の違いを種あり無しの観点から並河先生に語っていただきましたが、そんな種無しの無精卵の卵でさえ300円以下では買えない時代ということになります。

さらにちゃんとした餌で育てて、有精卵になると、1パック1000円で販売しないと採算が合わない。そんな時代になってきております。

ワクチン問題に戻りますが、実は動物にもワクチンを強制的に打っています（一部の地区を除く)。

人間だけにワクチンを強制的に打つことをやっているのではなく、動物には人間より前に打っているのです。家畜系です。豚、牛、鶏、魚、などあらゆる家畜系の動物にです。

すなわち、ワクチンの成分などは、あらゆる食品に入っているのです。最後に人間に来たと思ったほうがいいです。さらには、酸化グラフェンなども含めて、チップも入っているかもしれないですし、飛行機だけではなく、ドローンを活用して空中散布を現在でもしています。

今までの常識で、田舎だったら安全というのがなくなってきそうな予感がします。本当に養鶏農家さんの多くが失業する時代になってしまいそうなのです。酪農農家さんも廃業に追い込まれています。中国資本を中心に九州の畜産農家はとても多く買収されております。

たくさんの条件が重なっていますが、２０２４年からさらに食材が値上がりするのは避けられないでしょう。また、トラック運転手の制度が変わって物流コストの大幅な値上がりが予想されます。これは私たち一般消費者にも関係があることです。物流コストが上がれば、食材そのものの値段も必然的に上がるからです。

わざと作られている!?　疑え!?　認知症と狂牛病は同じメカニズムである!?

並河　１９８０年代～１９９０年代にかけて、狂牛病が蔓延した。これは、イギリスの畜産業者がアジアの牛に負けないように質を高めようとして、牛の肥料に肉骨粉（肉と骨を粉にした）を与えたのです。

牛は基本的に草食動物なので、良くない結果になったわけです。具体的には、牛の脳にプリオンというタンパク質が非常に多く溜まってしまったのです。

脳にタンパク質が過剰に溜まるとどのようになるのか。人間でアルツハイマーになられた方々の脳内は、糖質とタンパク質（糖質とタンパク質の混合物をムチンと言う）が多いという研究結果も出ているくらいです。

徳川一橋家の御殿医の並河家に伝わってきた理論や東洋医学的な発想で、体の仕組みを少し解説させてください。

例えば、顔がお腹に、頭がお尻に、腕が脚に、手首が足首に、首が腰に、口の周りが生殖器に対応していると考えるのです。即ち、上記のように色々な箇所が対応している。

お腹の下には生殖器が存在します。顔で言うと口が生殖器と対応しているのです。人間はもともと4つ足動物なので、脚と腕も繋がっているのです。このようにとても大雑把ですが、体の仕組みを理解したところで話を進めます（次頁写真）。

尿から糖質やタンパク質のムチンが多く出ると糖尿病と言われますが、アルツハイ

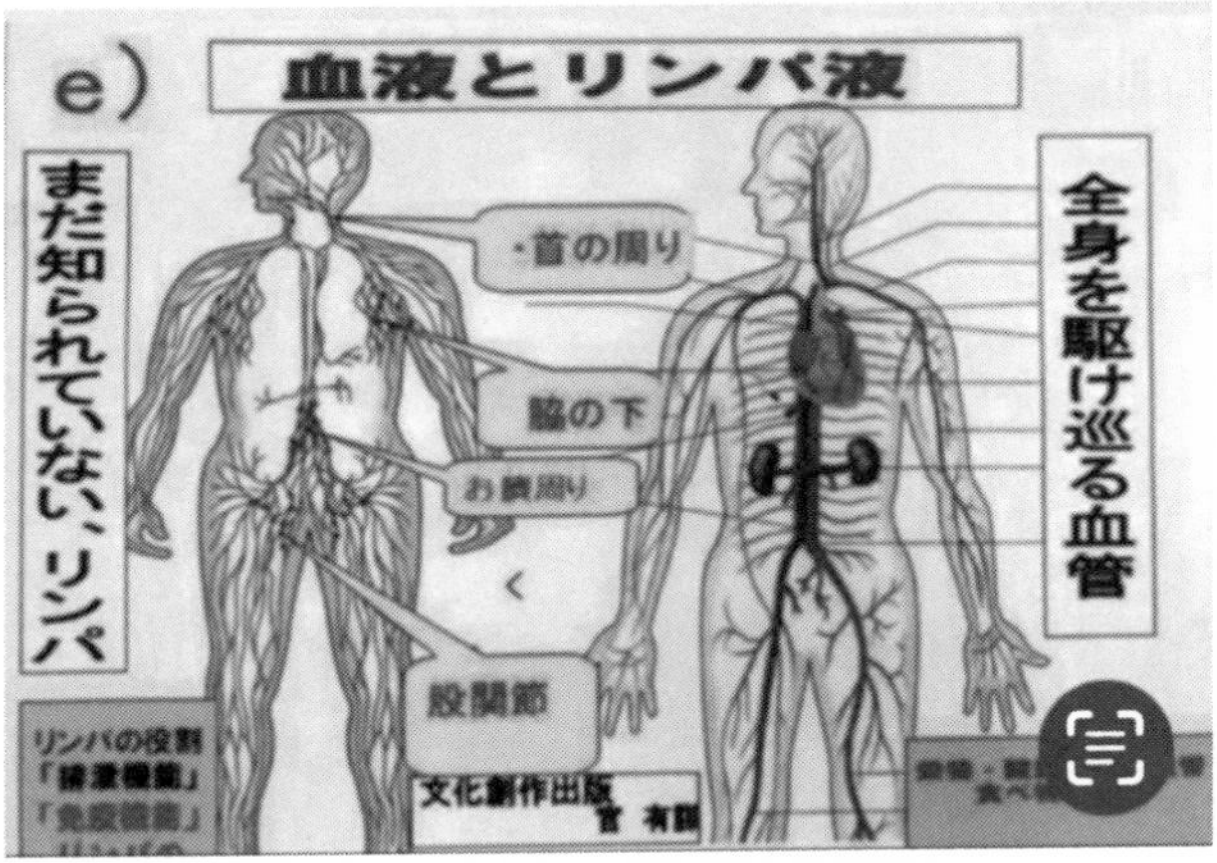
e)
血液とリンパ液
まだ知られていない、リンパ
全身を駆け巡る血管
・首の周り
脇の下
お臍周り
股関節
リンパの役割
文化創作出版

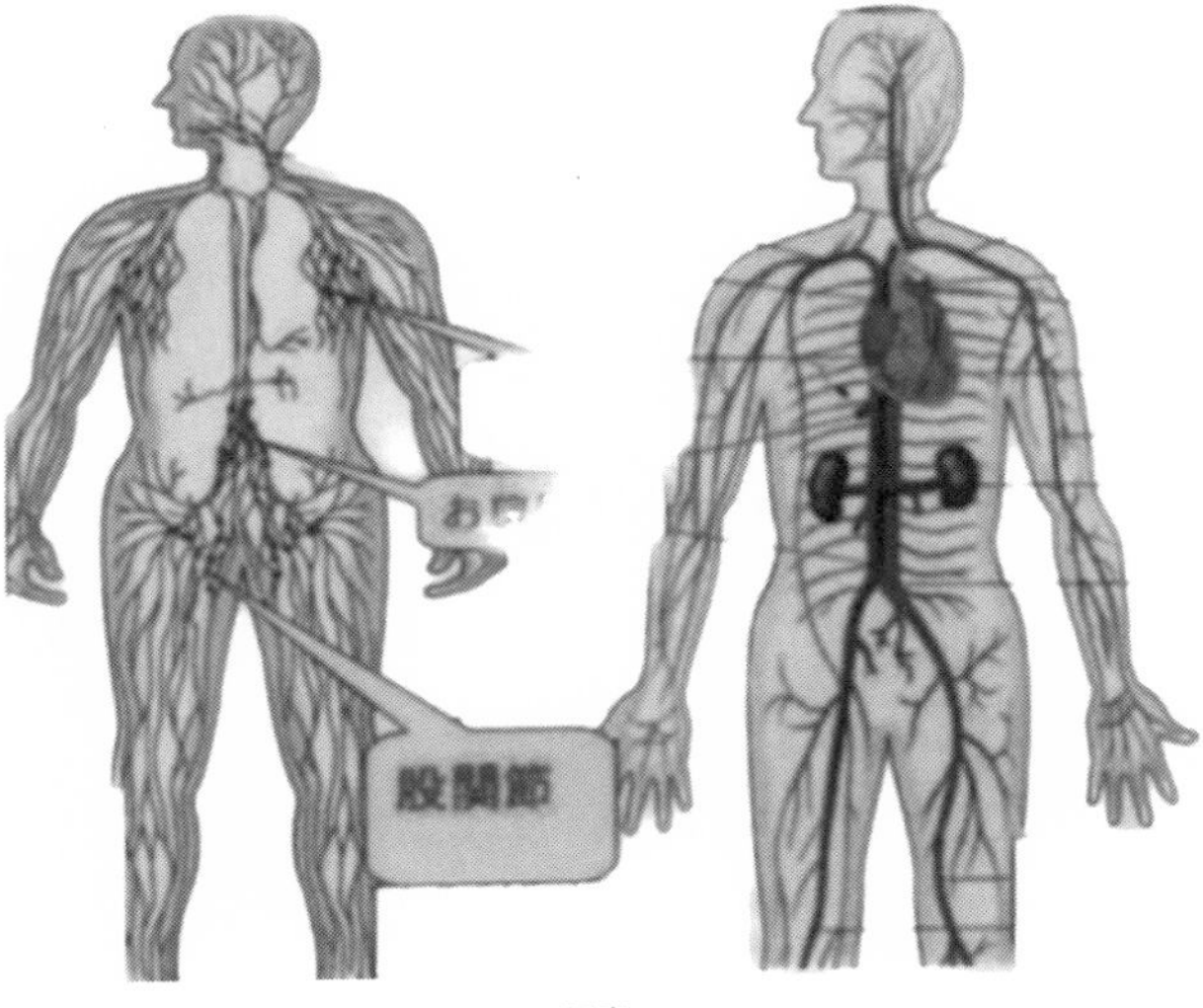
股関節

写真

マー病の方々の脳に糖質とタンパク質が多いと言われております。中国のある女医先生はこのような状態の患者さんを脳の糖尿病だと伝えています。

即ち、脳に糖質とタンパク質（プリオン）が多い状態、それが狂牛病なのです。狂牛病が蔓延した30年以上前に、すでに認知症の原因もある程度わかっていたということです。

complete domination ❷ この国日本に「政府」は存在しない!? 民主主義とは新手の最強なる植民地支配のことだったのだ!!

飛行禁止だった横田空域の解禁の驚きの理由とは日本人に「ケムトレイル」をさせるため!?

並河　自民党の国会議員の菅さんが官房長官だったころに、「関東の上（横田空域）を日本の飛行機が飛べるようになった」と話している場面がテレビのニュースで報道された。

これはどういうことかというと、軍事機密上、今まではアメリカの基地の上空を日本の飛行機が飛べなかったが、このときからは関東地方の横田空域を日本の飛行機も飛べるようになったわけです。

このことを友人と話していたら、その友人が言うには、「アメリカ人は基本的に夜働かないので、日本人が夜働かされるからであろう」と述べていた。「夜、日本の飛行機が日本の上空から化学物質を撒くために、横田空域を飛んでもいいよ」と許可をもらったのではないかと言っていた。

その友人が言うには、彼は夜中の11時から1時、さらには2時～4時まで起きていることが多いので、今までなら夜中に飛行機が飛ぶのを見ることは少なかった。しかし、2020年の2月のテレビで報道された以降は、夜中に飛行機が頻繁に飛んでいたとも言っていた。昼間に飛行機を飛ばして薬を上空から撒いていたら、撒いているのがばれるので夜間に飛行機で化学薬品を撒いていたのではないかとも言っていた。

彼から聞かされて以来、私も飛行機が頻繁に、深夜の1時～3時に飛んでいるのを知りました。

私は神奈川県の横浜市に住んでおりますが、この地域の上空には飛行機雲が東（西）から西（東）に多く出来る。しかし、ほとんど北（南）から南（北）に進む飛行機による飛行機雲は見たことがない。

と言うのは、たぶん神奈川では北西の厚木基地から南東の横須賀基地へは飛行機から見ると距離が近いので、飛行機は高くは飛べない。もし上空から薬を散布するならば、飛行機は北（南）から南（北）に行くときは低空飛行なので多くの人に空から薬を撒いていると気づかれてしまう。

一方、東（西）から西（東）への距離はあるので、かなり上空に飛行機は飛べます。ということは、肉眼では小さな飛行機にしか見ることができない。

横浜から見ると東（西）から西（東）に飛行機が飛んでいるのは事実ですし、飛行機雲と言われているものも東（西）から西（東）の方向で多く見かけますね。

さらに、私の施術のお客様が地方から横浜にお越しになられたときに、機内の窓から外を見たら、雲が黄色やだいたい色になっていたのを確認したと言われていました。窓から見えた雲に色がついていたのは、化学物質が反射して見えていたのかなという推測もしています。

坂の上 このように日本という国は自分の空を飛ぶ権利さえなかったということで空飛ぶ権利はケムトレイルを実行するために許可を出される始末です。日本は第二次世界大戦で負けて終戦を迎えて、日本人は日本国内にいますがほぼ国を失っているに等しい状態なのだということを認識していただきたいと思います。

結論付けられるのは、我が国日本には政府がないという状態です。私たちは生かさず殺さずの状態で生活をして、税金を納めるために存在しているというのは、陰謀論でもなく、事実だと思っております。皆さまはどう感じていますか？

イスラエルは国家の契約終了を迎えた!?
マスコミが隠している超巨大な嘘を明かそう!?

細川　国というのは契約社会です。イスラエルという国は75年で終了なのです。１９４８年に建国されました。建国から75年が２０２３年でした。最後の悪あがきを見せているのが現状です。イスラエルとパレスチナどちらも自作自演だと思います。

日本は軍隊というのは表面上はないですが、攻撃されたら防衛能力は結構あります。防衛費という名目でかなりのお金が働いています。とはいえ、戦争で儲かるのは、ほんの一部で、残りの99％の人間は、ほぼ貧乏一直線です。

増税、物価高、雇い止めに倒産破産、若い女性男性の自殺、子供の自殺、これが現在続いている状態です。とても長いです。20、30年続いております。

並河　皆さんもご存知だと思われますが、テレビや新聞の情報は色々な使われ方がされている。私たちのための情報伝達であり、当然ながら企業や政府のための情報が流されている。

しかし、ときには面白い情報もあります。テレビのマーケティングの裏側を知ってもらうためにわかりやすい写真があります。

例えば、安倍元総理大臣が東日本大震災の被災地に訪れた映像がありました（次頁写真参照）。しかし、その下の画像をみると、その場面はスタジオで収録されていることがわかります。このような情報を流すのは忙しい方々だから仕方ないかもしれませんね。なお、下の写真の左側に麻生太郎議員が映っています。このようなことから、テレビを含めてメディアが色々な使われ方をしているということを把握していただきたい。情報の見方が変わっていくと思います。

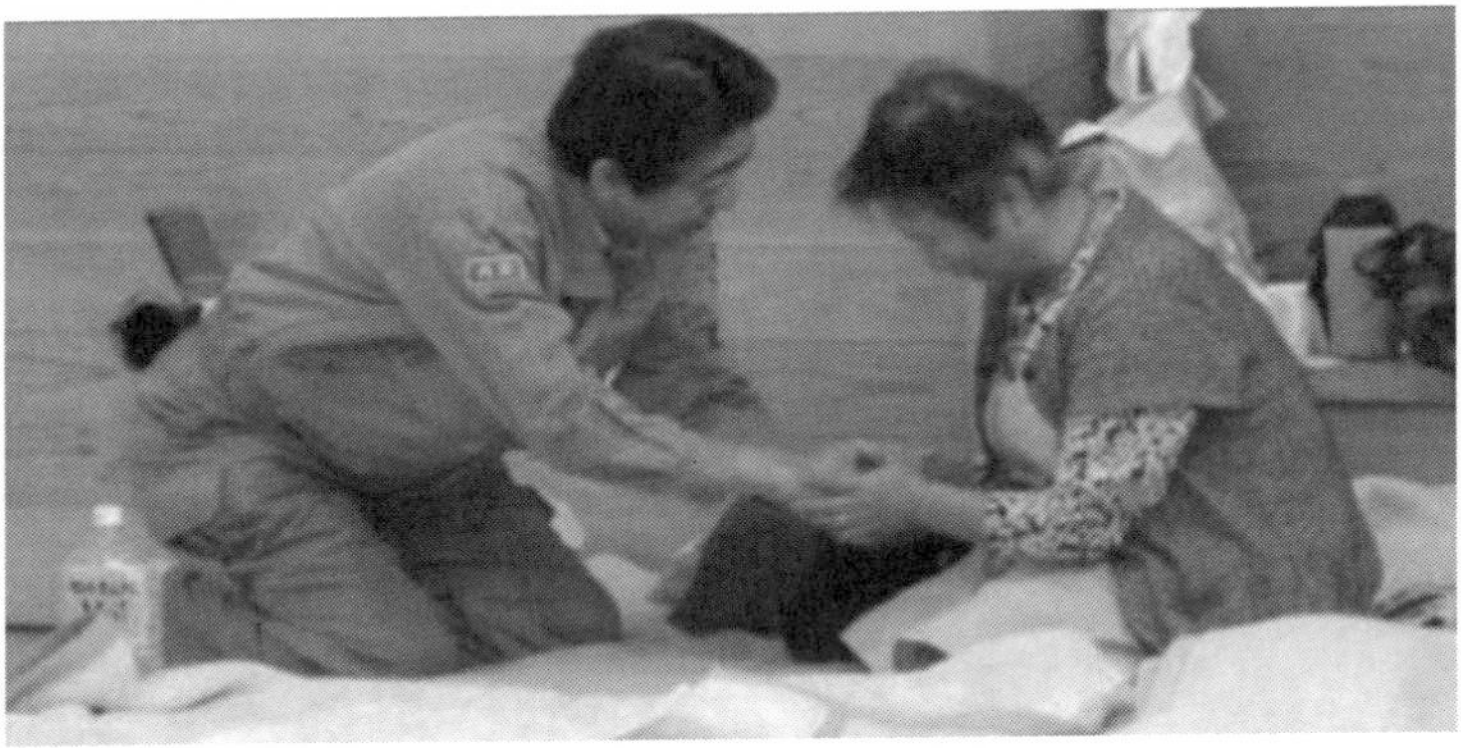

写真　東日本大震災の被災地に訪れた、と伝えられている映像

写真　左上が麻生議員　　右上がスタジオ

次に、浜田和幸政務官（当時）が国会で、「人工地震」に関して述べている場面の写真を見てください。

このときの情報によれば、アメリカもソビエト（ロシア）も中国も人工地震を行っているのは、世界の常識であると浜田政務官は述べていた。

写真　浜田和幸政務官が国会で、「人工地震」に関して述べていた

政府とは実質はロスチャイルド家の部下のこと⁉
主権は実質上ディープステイトだけが持つ⁉

坂の上　このようなことは、世界中でまかり通っているのが現状です。皆さんすでにご存知だとは思いますが、日本、アメリカなどの西側の国家に主権は実質上なく、す

なわち、政府や各省庁よりディープステイト（DS）などのロスチャイルドのほうが力関係が上だということです。

アメリカの選挙について議論してみたいと思います。ドナルド・トランプ元大統領について、Qアノンの方々やドナルド・トランプ元大統領を支持されている方々がドナルド・トランプ元大統領の復活を待っているお話があります。

さらに、ドナルド・トランプさんが救世主のような存在で世界を救ってくれるという考え方をお持ちの方もいらっしゃいます。水面下で、悪いことした人たちを逮捕しているんだと、こちらについて議論してみたいと思います。

ちなみに、私は否定も肯定もしません。本当にドナルド・トランプさんに、もう1回選挙に出馬して登場してもらいたいと思います。あれだけ叩かれて彼のX（旧Twitter）の投稿も消され、YouTubeも消されるのが彼が本物である証拠だと思います。

細川　実際に前回のアメリカ大統領選挙では、7000万人以上の人がドナルド・トランプに投票しています。ドナルド・トランプ万歳と言っています。好きだと言っているわけですよ。反対勢力のバイデン大統領の味方である、マスコミや日本のメディアはバイデン大統領のネガティブキャンペーンはしません。

BRICSのメディアが、反対意見を報道してくれたりしているくらいです。トランプ大統領の復活によってテキサスを中心に金融経済が始まると思います。日本人として、くれぐれマインドでいるのではなく、まず日本が自立をする必要があります。地産地消していく流れにするべきだと思います。

昔は、日本も幕末までは300の合衆国でありました。それぞれに政府があって、それぞれの金融システムがあって地産地消をして、寺子屋を中心に教育システムもありました。精神的な支えとなった、寺社仏閣もあったのです。

アメリカは現在でも50州しかありません。江戸には権力の中枢があって世界ナンバーワンの国だったのです。さらに軍事力は世界最高峰でした。それが1700年くらいの日本だったのです。1820年代ぐらいから、日本という国はおかしくなってきたのです。

官僚化してしまって、自分の仲間内だけで富を分け合って、民からは税（年貢・諸役）としてどんどん吸い上げていきました。

そんなときに、黒船が来たのです。黒船来航をきっかけに、日本は一体化しようという流れになりました。バラバラなっていたら、乗り越えられない状況だったのです。

そのようにして、明治維新は起こりました。しかしながら、日本人が統治をしているのではなく、朝鮮半島の方々に統治させることによって、間接統治されている状況が明治維新から現在に至るまでの日本です。

世の中を支配する真の世界の存在は、日本の文化をつぶしたがっている!?

並河　私の見解ですが、次のようなことを考えると、世の中を支配してきた裏の世界が存在するのは推理できそうです。

例えば、小学校のころを思い出してください。このころからすでに勉強のできる者と、そうではなく喧嘩の強い者もいました。そして、それらの両方の者たちが大人になった世界を想像してください。

勉強ができた者は一般に、大企業の役員や社長になることが多い。

また一方、勉強より喧嘩の強い、先生の言うことを聞かなかった者の中には、裏の世界に行く者もいる。

大会社が総会を開くと、そこに総会屋が現れて、会長や社長に何らかのものを要求するのはよく知られる事実です。

このような世界は、日本だけではない、世界中に存在する。さらに別の裏の世界がある。

勉強ができた者たちの中には、権力と金の力を活用して大財閥グループを作り、ロケットや原爆や水爆や「HAARP」や「指向性エネルギー兵器」や「人工地震」等を起こさせる特殊兵器などを開発し、先ほど述べた裏の世界と助け合い、世界をコントロールするであろうことは考えられる。ですから、これら2つの裏の世界があることは想像可能である。

これらの2つの裏の世界によって、神奈川県が狙われているようだ。と言うのは、約170年ほど前ペリーが黒船で来航した場所は神奈川県の浦賀でした。

また、第二次世界大戦の後に、GHQのダグラス・マッカーサーが到着したのは神奈川県の厚木基地。

さらに、2020年コロナウイルスは、ダイヤモンド・プリンセス号が到着した神奈川県の横浜港に現れている。

また、政治家も神奈川県の政治家がこの度の一連のコロナの流れの中に存在している。

元総理の小泉純一郎や菅《すが》義偉《よしひで》（日韓議員連盟会長）、また河野太郎議員が神奈川県の出馬である。

細川 偏見報道がされている現状があります。なぜなら、スポンサーが欧米企業だからです。政治的な配慮で放送している事実はありますが、やはりお金の流れを見たら一目瞭然です。今は特に、製薬会社が多額のスポンサードをマスコミにしています。表向きのお金もそうですが、裏金も使ってやっているのです。

情報機関であるテレビや新聞等で、欧米文化の野球、サッカー、ゴルフ、ラグビー、水泳等の放送は多いが、日本人を奮い起こさせてきた日本の文化を表す柔道、空手、剣道、華道、茶道等の放送がほとんどなされていないのが残念です。

並河 七宝焼の大家で、フランスでも何度も賞を受賞した並河靖之氏。

彼は1900年のパリ万博に出品した後に、作品が皇室に買い上げられた経験もある。しかし、多くの日本人には並河靖之氏(次頁写真参照)のことは知られてはいない。

TSUMUGU
紡ぐプロジェクト
「七宝四季花鳥図花瓶」並河靖之
「蓬莱蒔絵香合」白山松哉
「太平楽置物」海野勝珉
皇室が守り継ぐ 国のたから

写真

また、私の大伯父は八代目桂文楽ですが、今では落語の世界もマスコミで取り上げられることは少ない。

落語とは程遠い『笑点』しか、テレビではあまり放送しないし、中堅の落語家たち（桂文枝、片岡鶴太郎、笑福亭鶴瓶、明石家さんま等）は、落語からタレントへと変更したのか、金の力によるのか、落語をほとんどやらないのはとても残念だ。

彼らのこのような動きの現象は、まさにグループで歌が売れてくるとそこから歌う人間だけが独立して、最後は1人で成功したかのような態度で稼いでいるのと、同じように私には思える。

落語家や歌舞伎役者の中にも、その世界を捨てて、タレントやCMで稼がざるを得ない人が多いのか。

だが、歌舞伎役者の中堅で、これから活躍が期待できた市川猿之助氏は、この辺の矛盾に気がついた1人ではなかったのか。彼には歌舞伎をさらに活発に広げる力があったように私には思えた。

彼が早期復活して活躍できるようになるには、私たちの応援が必要である。この応援は日本文化を守る上でも大切なのではないか。

細川　日本の文化がないがしろにされてきているということは事実だと思います。しかしながら、その傾向は今に始まったことではなく、はっきり言って明治維新からずっと意図的にやってきたと思います。

例えば、日本の浮世絵や美術品を表に出さずやってきたのです。しかしながら、今になって欧米の人たちは日本の美術品を欲しがっているのです。買取がすごいです。

やはり日本人からは金を奪って殺せ⁉ 抗がん剤に効果なし！日本の学会はこの発表を無視し続けている⁉

細川 医療的な観点でも、がん治療にしてもまったく意味がない治療をし続けて、ばれてから33年経っているのです。

現在のがん治療は効果なし。米国政府が抗がん剤・放射線・手術は無効かつ危険と1990年に発表しています。統合医療に比べて、抗がん剤・放射線・手術のがんの3大療法は無効かつ危険と裁定を下しました。

しかし日本の学会はこのアメリカ政府の裁定を無視し続けています。1990年に調査専門部会のアメリカ連邦議会技術評価局（ＯＴＡ）が抗がん剤は打てば打つほど患者を死亡させているという結論を出しました。

抗がん剤を投与すると、一部の患者にいったん腫瘍縮小が見られるが、がん細胞が自らの遺伝子を変化させ変異するのです。さらに、抗がん剤に耐性を獲得してしまいました。

すなわち、抗がん剤はがん細胞に対してまったく効力を失うどころか、患者はただ抗がん剤の毒性を被るのみ、と専門部会で結論が出ています。

１９９０年、33年も前に発表されているのに、日本のマスコミも無視して、日本医学会も無視です。どれだけ、がん治療で儲けているかがわかります。

日本人が気づいて、効果がないばかりでなく、危険な現在のがん治療は受けないという選択をしていく以外に方法はありません。

自然治癒力を身につける方法が、がん治療の根本的な解決になります。体温を高めて、活性酸素を消去して、ＮＫ細胞を増やして免疫力を上げれば、自分の力でがん治療は可能です。本当にテレビを消してください。見ないほうがいいです。

YouTubeでは真実は伝えられなくなった

坂の上　新聞とテレビがなかなか真実のニュースを伝えてくれないということで、私はかなり古くからYouTubeでいろんな真実を伝えてきたのですが、私たちが当初は伝えることができたYouTubeさえも、私は連続10回アカウントバン（チャンネル削除）されています。

細川先生は13回です。チャンネル削除されるときは、通常3回注意（イエローカード）されたら削除なのですが、私の場合は一発アウト。もう翌日にはチャンネルが削除されています。

坂の上と細川先生は、もう存在自体がバン対象なのです。

すなわち、YouTubeだったら真実が知れると思って見ている人が多いですが、全然そんなことはなくテレビと変わらないっていうことを認識してもらえたらと思います。

テレビのタレントと同じような立ち位置になっているYouTuber（ユーチューバー）が多くなってきていると思います。

減塩の意味を問う！ がんとムチン（糖とタンパク質）がもし同じ成分ならば、塩で流せる⁉

並河　テレビや新聞の色々な情報だけではなく、気功や足ツボや食事療法などを通したお客さんの事例を診て、体験したことをお伝えしております。

単に、外国の論文や情報を見て書いているのではなく、私の実体験を交えたものをお伝えしております。

エビデンスも大切ですが、東芝やフォルクスワーゲンといった大手ですら、情報を改竄《かいざん》していますから、物事の判断をするには、時折難しいかもしれませんね。

ところでアメリカでは、「がんは脂のようなもの」と発表されていました。アメリカ人は脂が多い食生活だからかもしれません。日本人は甘党で、コンビニでも糖質の多いものがたくさん出回っています。

国立がん研究センターの資料には、「がんは糖鎖にタンパク質と脂肪が絡んだもの」と書いてありました。ですから、私は「がんは糖質を中心としたタンパク質、脂肪、そして化学薬品が絡んでいるもの」と解釈しています。

ところで、がんはどんな成分で出来ているのかと疑問に思って、Googleでがんの成分を調べてもGoogleにはがんの成分が出てこない。

しかし、鼻汁や目脂やフケや痰の成分を調べると、これらの成分は糖質とタンパク質と書かれてあり、それらの色は黄色いものです。

これらの成分は「糖とタンパク質」のムチンと言われる混合物です。このムチンという言葉を覚えておいてください。これは魚を捕まえたときに、魚の表面のヌルヌルしている成分です。手に付着したヌルヌル成分を取るには、海水の塩水で洗うと綺麗に取れます。

これは、重要なポイントです。ヌメリ成分のムチンを塩で洗うと綺麗に取れるということです。

ところで、がんは上皮細胞の表面や内臓の内側にある粘膜に出来ることが多い。また、ムチン（糖とタンパク質）も同じような上皮細胞に出来るため、がんとムチン（糖とタンパク質）は同じ成分ではないか、と私は推理しています。

医者が直接患者に、がんは糖とタンパク質と脂肪の塊ですと伝えたとしても、マスコミはがんの成分が「糖質とタンパク質と脂質と化学薬品等」とは伝えません。

病気を防ぐには、食事を大切にしなければならない事例として、40数年前の上野動物園に来日したパンダの「ランランとカンカン」について考えてください。

ランランとカンカンに早く赤ちゃんを出産してもらうために、パンダの主食の笹や竹だけではなく、栄養をつけさせたいということで「牛乳と卵」等をたくさん与えました。その結果、ランランとカンカンは糖尿病と高血圧になって、亡くなってしまいました。

食の乱れである『食律の誤り』によって、40数年前に「ランランとカンカン」が病気になった、わかりやすい例だと思います。私たち日本人は、「米と魚」から欧米の食生活である「肉と小麦粉」へと食律が大きく変わろうとしています。私たち日本人はこの辺も少し考える必要がありそうです。

complete domination ❸ 米国のドル支配はすでに終わっている！ ＢＲＩＣＳの経済構想に産油国の半分以上が賛同!!　日本国も解散です!?

すべてはロスチャイルドの管理!?
金融・経済・インターネットの抜け道を探せ!?

坂の上　金融・経済・インターネット、これら3点セットは切っても切れないものです。

私もＷｅｂ制作会社を経営しておりますが、やはりすべての業界の心臓部を握るのがＩＴシステムとＷｅｂでございます。一昔前は、リアルに百貨店へ洋服などの買い物をしに行ったことが多くありましたが、今では通販が進歩しています。リアル店舗には、洋服がなくなっていきます。

すべてインターネットに吸収されていきます（それもサブスクですね。買わずに月々いくらで借りる、などの新しいビジネスが流行るでしょう）。

なぜならばＷｅｂサイトで買ったほうが安いからです。Ｗｅｂやインターネットビジネスが普及して、真っ先にリアル店舗が減っていく業界が家具屋さんです。

その次にアパレル、さらに車です。百貨店までもが、もう様変わり。つまり時代が変わっております。

したがって、ＷｅｂやインターネットＩＴを抜きにして、すべてのビジネスが成り立たないというふうになっています。

そして次にマネー金融です。某銀行は支店を思いっきり減らしているのをご存知でしょうか？

全店舗数の40％を閉鎖することを決めている銀行もあるくらいです。

つまり銀行がやっていけないということなのです。これから銀行はＩＴ企業とセットになって、スマホがマイバンクのような形になります。

これから自分たちのスマホでピピッと送るようになります。スマホは物質的に存在しますが、これからの時代はホログラムになります。

時代は進化しても、お金はいります。これからお金がどうなるかということもお伝えしたいと思います。

現在どうなっているかというと、金融がガラリと変わっていて、今までの紙幣のお金ではない形に、空気のようなものになっていきます。

最終形態は、電子マネーを経てから、いずれ、金属のチップになっていくのが今後のお金の形になるでしょう。

皆さんはＬＩＮＥ・Ｇｍａｉｌ・Ｙａｈｏｏメールなどいろいろ使ってらっしゃると思います。

便利だから使ってしまいます。１回使ったらやめられないです。人間便利なものはやめられないのです。

しかし、すべての情報は全部中央コンピュータに集まって、皆さんがどういう性格でどういうことが好きでどういうことが嫌いでどういう人間関係があって、皆さんのご両親、兄弟の銀行口座の中の数字までわかっております。

すなわち、これからの未来は本当に二極化します。お金も二極化します。お金は残念ながらロスチャイルドのものです。

もちろん暗号資産（も仮想通貨）もロスチャイルドのものにしようとしています。彼らから逃げたくてできたものですが、彼らが仮想通貨なども牛耳ることになります。ロスチャイルドが管理していない仮想通貨や電子マネーは潰していくということになります。そうじゃないものが独立したECや、特定の仮想通貨や政府系とは別の電子マネーや、NDTなのです。今やっと完成しました。日本では営業はしません。特定の国の、特定の経済圏にて、これから組合内での物々交換が始まっていきます。お金というのが大きなパラダイムシフトになっています。

お金と生活は一致しています。私から言わせれば、お金、金融＝政治経済です。

政治とは一言で言うと、どのように経済を回してどのようにお金を分配するか、ただそれだけです。お金とITがセットになって、どういう社会になっていくかというと、DS（ディープステイト）やロスチャイルドたちが目指してきたNew World Order（NWO）が、いよいよ確立されてくる。人間牧場になってくるということで、彼らはもはや正体を隠してないです。堂々とやっているわけです。

もちろん人口削減も同等でやってくるでしょうけれども、彼らの電子マネーが出回ることになります。

なので、これからはそうじゃないものを見極める目を持つ必要があります。なかなかないですけれども、そこからワクチンで騙されなかった人も、今度騙されることになると思います。

だから最終的には体にチップを入れようとしてきますので、チップを入れられないようにしましょう。3年前に武漢から始まったパンデミックが、ある意味、ワクチンを打たせるためのマッチポンプであったということは皆さんご存知だろうと思います。

この度ですね、マスクもしなくてよくなって、ようやく普通に戻ったかと思いきや残念なことに、またパンデミック条約、国連のＷＨＯ主導のパンデミック条約なるものが締結されてしまうでしょう。

そして先進国を筆頭に、もちろん日本もアメリカもドイツも入っているわけですけれども、そこの条約に加盟するでしょう。

そうしたときには条約のほうが国内の憲法よりも上ですので、残念なことにパンデミックを起こされた場合に戦争が起きるとか、何がしかの有事が起きる場合に、ワクチンを打っていない人たちも拒否したら、逮捕を拒否できなくなるような状況になる可能性があるということです。

「国産の非常事態宣言」「パンデミック条約ＣＤＣ」でワクチンも徴兵も強制になる!?

細川 ワクチン接種は、これまではすべて任意でした。徴兵も任意です。

しかし、緊急事態ということを宣言すれば、閣議決定で政令レベルでいろんな施策を打ち出すことができます。

国内はそれでやるわけです。皆さんに言うことを聞かせる強力な権力をこれから持てるようにしようとしています。わがまま言ったら、刑務所入りになったり、圧力がかかったりするようになります。まだ収容所が足りないので、安心ですが、民間の収容所が立てられ始めたときは注意が必要です。

坂の上　理解しておかなければいけないのは、あらゆる方面から逃げられないような法整備を、国連もセットでやってきているという現実があります。

さらに、ファシズム的な強制で進めてくると思います。従わなければ、っていう世界です。もしかしたら、中国と台湾の有事が始まるかもしれない。そうなれば、日本が戦場になるかもしれない。なんとか阻止しなければいけないが、この日本を戦場にして食や薬、レプリコンなどのワクチンなどで、日本は人口がどんどん減少し、日本国内で日本人が少数派になるまでいきます。そして、次は世界でもトップクラスの石油や、天然ガス、レアメタル、メタンガスなどの日本の豊富な海底資源を奪われかねません。

徳川慶喜の大政奉還が日本分断を救った⁉
今こそ先を見通すリーダーが必要です‼

並河 今までも、分割統治は色々な国で行われてきました。ヨーロッパであれば東ドイツと西ドイツ、アジアでは北ベトナムと南ベトナム、北朝鮮と韓国、イスラエルとパレスチナ。このように隣接の2つの国に裏の世界の人間たちが資金を提供して戦争をさせ、金を稼いできました。

このように考えると、今から158年前の江戸時代も裏の世界から資金を提供されていた。徳川グループにはフランスが資金を提供し、薩長土肥にはイギリスが同じように資金を提供した。

しかし、その動きを察知した15代将軍徳川慶喜は国の分断を避けるために大政奉還をしたわけです。

このような先を見る能力が日本人にあるのだから、これから日本が「コロナや地震や天候不順」等で支配されるのを、未然に防ぐことができることを願いたい。太極的に物事が見られるリーダーが現れるよう、私たちも皆さんで助け合いたいですね。

極めて困難だがやるしかない!!　日本を救う2つの道とは!?

坂の上　これから日本が生き残るためには、2つあると思います。

まず1つは誰か立派なリーダーが現れてくれて日本をアメリカから独立させて、独立国にしてくれるように、政治の指揮を執ってくれる。

もう1つの方法としては、私が過去にやってきて言ってきていることですが、地域ごとにコミュニティを作って助け合っていく。そしてそこで自分たちのデジタル交換券のようなものを持って自分たちで生産し自分たちで経済を回しっていうふうにやっていくっていうこの2つが考えられるのかなと思います。

両方とも必要だとは思いますが、両方とも私がやってみた結果、極めて難しいという結論なのです。

まず素晴らしい政治家が出たとしましょう。しかしその方々が当選するのか権力の座に就けるのか、就いたところで政権交代が起きるのか。政権交代が起きたところで、やはり日本のアメリカに対する弱い立場があります。ここをどう改善するのかというところがあります。

私は市長選だったら可能だなと思いました。国政だとなかなか厳しい。しかし、もちろんやるに越したことはないです。参政党さん、れいわ新選組さんは頑張っていると思います。自民党の保守派も頑張っていただきたいと思います。

調教・洗脳には塩を与えず砂糖漬けにするのが一番手っ取り早い⁉

並河　やはり、世の中の変革には強いリーダーが出ることだけでは十分ではない。ヨーロッパでイギリスやフランスで革命が起きたのは、一般市民が動き出したから不正な社会を改革できたわけだ。今の日本で、一般市民一人一人に元気がないのは日本人の食の乱れが1つの原因かと思われます。

ところで、アメリカという国はマネーゲーム的拝金主義的な国なのかもしれない。ですから、日本を牛耳っている欧米の裏の人間たちに対抗するには、田中角栄氏や中川一郎氏や橋本龍太郎氏のような強いリーダーが先頭に立って戦うのではなく、国民一人一人が動き、拝金主義的な欧米人の製品をボイコットして、金銭的なダメージを与え、総理大臣が1人で動く「トップダウン」ではなく、一般市民が立ち上がる「ボトムアップ」の精神が必須なのではないか。

麻原彰晃は信者を砂糖漬けにして洗脳した。ロシアのボリショイサーカスの調教師は熊に塩分の多い肉を与えないで、角砂糖を1日に1000個与えて、熊の脳に大量のブドウ糖を与えることで、熊は静かになり、調教した。

麻原彰晃の信者や熊のように砂糖漬けになった今の若者は、芯の強さがなくなってしまった。

食律（食生活の法則、日本人は米と魚）を見直し、食生活を改善することにより、日本人本来の資質を取り戻せば、日本国民自身が素晴らしく良くなるかと思われます。食事が人間の精神を作りますので、食律の見直しが大事かと思われます。

坂の上　ただ、私は悲観論で語りたいと思います。大変申し訳ないと思いますが、実際私は当事者としてやってきたので、言えることであって、この国民が立ち上がるとは思えないのです。

どうする日本人⁉ 「自力自然治癒力」にヒントが詰まっている⁉

並河　例えば病気に関して述べると、外部から物事を捉える欧米の発想では、病の原因は菌やストレスや気温の変化等といった外的要因から捉える。

ところが、日本的な発想では、「外よりは内に原因がある」という捉え方がある。

欧米のお母さんは、だから子供を守るときに自分の後ろに子供を隠して、仁王立ちして戦う姿勢を取る。反対に、日本のお母さんの場合は、子供を抱えて自らの背中を犬に向けて子供を守る。

欧米のほうは常に外から見る発想が多いので、病気の原因を「菌だ、ウイルスだ、ストレスだ」と主張する。


次の事例で考えてみましょう。白い紙の上にみかんの汁で字を書いて火で下から紙をあぶると、みかんの汁で書いた字が白い紙に浮き出てきます。

実は、皮膚でも同じようなことが起こるのです。白い紙が皮膚だとします。私たちの体は食事をすると食べすぎた分をデトックスしようとします。便で出すだけではなく、汗、鼻水、そして皮膚からもデトックスしようとします。

食べすぎたタンパク質で、メラニン色素が皮膚から出る。女性は、紫外線で皮膚にシミが出来るのを恐れて、日焼け止めのクリームを塗る。

しかしながら、体内にシミの素である、タンパク質のメラニン色素があるから紫外線を浴びるとシミになる。タンパク質のメラニン色素が、先ほどの「みかんの汁」に相当すると考えてみてください。

みかんの汁がなければ火であぶっても文字が浮き出てこないように、タンパク質のメラニン色素がなければシミにならないと考えられるのです。

このような内からの発想は、外に原因を求める欧米的な発想ではなかなか思いつかないのかもしれません。

社会人として自立できる人間を育てていく必要があるのと同じように、健康面においても、自然界の動物のように人間は病気から自立する必要がある。ここで、世間で言われている自然治癒力について考えてください。

健康な人は自分から治す力があるので、私はこれを「自力自然治癒力」と呼んでいます。しかし、あまり健康でない人は自ら治す力がないので、足ツボの施術や気功を受けて自然治癒力を高めることが必要。このように外からエネルギーを頂いて治す力を「他力自然治癒力」と、私は呼んでいます。

今日の人間には自然界の動物たちのような「自力自然治癒力」がないように思われるが、その原因は運動不足で、添加物や保存料が多い食生活。しかも、甘いものばかり食べさせられているからかもしれない。

塩抜きの刑があったように「塩」は薬に近いものだった⁉

並河　江戸時代に「塩抜きの刑」があったのをご存知ですか。ある博士の実験によれば、塩抜きをさせて3日から5日経つと、食欲が落ちて冷や汗をかく。5日から7日が経つと、体全体に倦怠感《けんたい》が出る。さらに塩抜きが8日経つと、身体に痙攣《けいれん》が起きたので実験は中止になった。

このように厳しい刑罰だったたし、塩がとても大切なのです。ですから、昔から神様のお供えに「米、水、塩」を使ったのでしょう。米は食べ物の代表、水は飲みものの代表、それでは塩は、天然の薬なのかもしれません。

ところが現代医学は基本的に減塩を勧めています。本当に減塩の方針で良いのでしょうか。本当の健康法は今の日本人に与えられていないのではないか。塩抜きを勧められ、反対に砂糖漬けの生活でいる。

このような状態では元気が出せないと思われます。立ち上がろうとしても、立ち上がる元気エネルギーが出ないのです。海辺の漁師さんは海藻や魚から塩気をたっぷり取り、しかも漁師さんの生活の場の周りにはＰＭ２・５より多い塩が空気中にたくさん漂っています。

だからでしょうか、北島三郎さんや鳥羽一郎さんのように漁師町出身の歌手の方は大きな声が出るのでしょう。

これからも健康第一で、エネルギッシュな日本人になってもらえるような情報を伝えていきたいと思います。

音楽は神を表現するものだった!?
日本人を奮い立たせるのは、この波動である!?

坂の上　並河先生のおっしゃる通りだと思います。革命が起こるときや、社会が変わるときは、内側から変わるものです。

私は音楽家でもありますので、少々飛躍しますが日本人を奮い立たせるきっかけになるのは、実は音楽であると思っています。

飼い慣らされている犬のような日本人ではあると思いますが、そんなエネルギーもない日本人を奮い立たせるには健康法も大切なアプローチですが、音楽だなと思っています。

音楽は波動です。本当に感動するときは、細胞が振動しています。やはり、生ライブがいいのです。

ＣＤでは衝撃は伝わりにくいものです。本当に音楽には人の心を癒したりするだけではなく、体や病を治す力もあるのです。

音にはそれぐらいの周波数やエネルギーがあります。インドでは、声と音に神が宿ると言われています。

私はインドでも音楽をやっていたのですが、それぞれの音階があって、それぞれに神が宿ると言われております。音楽というのは神を表現するものだったのです。音楽は周波数になって、視聴者の心や魂、細胞にドーンと届くので、「よし明日も頑張ろう」と鼓舞するのです。宗教の儀式には必ず音楽があったと思います。踊りと音楽です。それをするのは、やはり心と魂に響くからです。

しかし、音楽は悪用することもできます。「今から戦争をするぞ！」そんなときにも音楽を活用してきた歴史があります。悪用することもできるので、とても慎重に扱う必要があります。諸刃の剣です。

ロスチャイルドのインチキマネーは必要だったが、世界経済をボロボロにもした!?

坂の上　次にそれを踏まえてお金の話をします。お金も全部が悪いんじゃないのです。勘違いをして、間違っている人がいます。お金そのものが悪いのではありません。お金や金融が悪いのではありません。諸刃の剣である、お金を使う人間の心と、お金へのネガティブな考え方が汚ければ、ダメだと主張しています。

すなわち、お金の使い方が汚いだけなのです。お金はただのツールです。

しかし、ロスチャイルドたちが発明したお金は中身が空っぽで、経済的なバックボーンがないお金だったのです。すなわちインチキだよと。それは必ず財政破綻や、あるいは金融恐慌や株価の暴落などに繋がるお金なのです。

だからこれから作るお金は、実体経済に基づいたものを作ればいいのです。それが金《きん》になるのか食料になるのかわかりません。

私は、ロスチャイルドの肩を持つわけじゃないですが、今のスタイルのお金も今までの時代には必要だったのだと今は思います。批判だけするのではなく、あのときは大量生産と大量消費を必要とした時代でした。工業化への社会でした。

ダイナマイトを作り、鉄を作り、軍艦を作り、街を作り、鉄道を作り。あらゆるものを作っていったのです。そのときに莫大なお金がいるのです。金や食料だけでは回らなかったはずです。

すなわち、インチキマネーを作る必要があったのだと思います。しかしインチキマネーによって、今の世界経済はボロボロになりました。

だから、新しい暗号資産（仮想通貨）や電子マネーに移行しようとしていますが、ここで、New World Order（NWO）という、ロスチャイルド家がやりたかった、人間総奴隷化、チップ入れられてみんな番号で管理されてロボットゾンビのようになって生きていく社会なのか。それとも、それとはまた別の彼らのお金ではない、新しい電子マネーを作って、そっちのほうで地域ごとに共同体コミュニティを作ってそこでみんなでやっていくのか。どっちかに分かれるのです。

2つに1つしかないです。その真ん中はないのです。どっちかなんです。

だから皆さんどっちに行きますかっていうことなのですが、みんなでコミュニティを作って頑張ってやっていくよってなっても、難しい問題があります。都会に住んでいて、それができない。私も過去3、4年頑張ってやってみました。

やってみましたけれども、いろんな層の人間がいます。

結論から言うと、今の社会とあまり変わらない社会構造がそこでもできるのです。なぜかというと能力の差がありすぎます。経済力の差がありすぎるのです。理解力の差がありすぎる、生活が違いすぎる。夫婦でもうまくいかない。なかなか難しいのです。3人いたら喧嘩するでしょ。だから人間というのは、愚かで弱いのです。

金融経済の冬の時代

並河　今、G7はガタガタになってきています。そこに、BRICSが登場してきています。今まで、アメリカのドルを中心に経済を回していましたが、これからは、ドルを使わないで、中国人民元を中心とした経済圏をサウジアラビア近辺諸国も巻き込んでやっていくようです。

サウジアラビアは今まではアメリカの奴隷だった関係でドルを使っていましたが、ドルを使わないと言い出したのです。

BRICSを中心とした世界経済が誕生する、そのような時代なのです。さらに、金の価格がすごく高騰しています。

2018年には平均1200（ドル／トロイオンス）だったのに対して、2022年には平均1800（ドル／トロイオンス）にまで高騰しています。この辺りについて、おふたりはどうお考えですか？

坂の上 金に関して言えば、金の相場もロスチャイルドが握っているのです。結局彼らが相場を握っているのです。相場を決めるということが金融なのです。やはり、金も彼らに握られているということです。

ダイヤモンドもしかりです。彼らが握っていない相場で経済ベースにして新しい金融を作る必要があります。

これから災害がたくさん来るのです。したがって、コミュニティベースで生産者も流通業者も工業の人も医者も、必要なものは組合みたいなものを作って、電子マネーだけはロスチャイルドが関与しない電子マネーを使って、物々交換をしていくのが良いと思います。

細川 今までドルを中心に金融を回していましたが、今はギリギリです。石油と軍事力で半ば強制的にドル経済を取り入れていましたが、ＢＲＩＣＳによる経済構想に、産油国の半分以上が賛同しました。

軍事的にも水面下で争うだけで、ＢＲＩＣＳをアメリカが攻撃することはしませんでした。米軍は、弱いってばれてしまったのです。さらに米国は今、内乱状態になっているので、大きな変革が起こりそうな予感です。

ユダヤ商人より手強い!? これからはインド人が世界覇者になる

坂の上　ＢＲＩＣＳの新しい経済圏になる話をします。

今まで先進国だった国が力を徐々になくしてきていますが、これから国の力を強くしていく国は、私の第二の故郷でもあるインドだと思います。インドはインド国内だけではなく、アラブ地域、インドネシア地域にも勢力を強めています。アラブ地域では、労働者からお金持ちまで大体インド人です。

これから伸びてくるであろうアフリカの国の貿易担当も大体インド人です。インド人には国境を越えたインド人ネットワークがあるのです。それが最強なのです。私は彼らインド人の中にいましたのでわかりますが、ユダヤ商人よりもインド商人のほうが怖いと思っています。

例えば、ユダヤ人と商売をするときには、わかりやすく言うと、「あなたのお金で私は儲けます。利益は折半しましょう」なのです。しかしインド人の場合は、「あなたのお金で商売します。利益は9割もらいます」みたいな感じで、さらに「何かあったらあなたの責任です」といった感じです。

すなわち、入り方を間違えると大変なことになるということなのです。日本はどうやって生きていくのか？

1ドル150円でさえ日本人の資産は半分です!
これから暴落へ向かいます⁉

坂の上 これからは、日本国内だけでは市場が回りにくくなります。今まで日本経済の強みは8割を占めていた日本の分厚い内需だったのです。

しかし、内需がどんどん薄くなってきています。日本人が日本国内であまりお金使わなくなってきています。どちらかといえば、インバウンド頼りになって、外国人を呼び込もう、外国人に使ってもらおうと、何から何まで外国人。

今、円安なので150円を突破しました（2023年11月現在）。170円を超えると言われていて、私は日銀も破綻するのではないかと思っております。なぜそう思うかというと、中央銀行で、日銀だけです。ユニクロの株まで持っているのは、日銀だけ。中央銀行が一企業の株なんか普通持たないです。

しかし、日銀が日本の上場企業の株を買っていないと上場企業がもたないです。さらに日銀が国債を買っていないともたない。

すなわち、タコが自分の足を食べて生きているような状態です。今までは、その戦略で維持していましたが、これからは食べる足もない。そのような状態になってしまいました。

通貨には、固定相場と変動相場があります。円は変動相場なのです。つまり他の通貨と連動して成り立っているのです。今現在でも、円の価値が下がっているので、現在でさえ皆さまの資産は半分になっています。これが1ドル200円を切ってしまうと、皆さまの資産はさらに暴落します。本当です。今、その状況に国ごと向かっているわけです。その日が迫っているから言っています。

したがって、早く各地域にコミュニティを作って、喧嘩している場合じゃないです。みんなで助け合って生きるしかないのです。

しかし、今の日本人は、それができるだけの人間の質なのですかという問題なのです。日本人の質が低下しています。恐れとエゴに支配された人々が多くなりました。喧嘩ばかり、足を引っ張り合っている。本当に今の日本人が、一昔前の私たちのおじいちゃんおばあちゃんのころの日本人とはもう違う人種になってしまったということです。日本人は貧しくても高貴な人々だと言わしめた、立派な人間だった、昔の日本人に戻らない限り、無理だと思います。

17省庁、日銀は終了です！ 日本は解散に向かっているだけです⁉

細川 2015年10月末をもって、日本国、17省庁、日本銀行は終わりました。機能してないのです。国政も終わってしまいました。搾取できるものは取り切ってから解散する方向に向かっています。時間の問題なのです。終了です。

坂の上 はっきり言って、私も諦めています。経済的にも金融的にも無理なのです。

本当です。1回破産するしかないのです。今の経済を復興させるために、日本にはすごい技術があるのです。それを、そこにドーンと投資して、もう1回 JAPAN as No.1を作ることができます。

フリーエネルギーも日本は持っています。さまざまな分野ですごい技術を持っています。持っているんですが、やらしてもらえない。これがつらい。本当に、殺される、いろんなことがあります。

complete domination ❹
ディストピアからの脱出!? 急務!! 日本人よ、生き残るためにまず「食」を磨け!!

日本人本来の強さ、内なるエネルギーは古来の食から得て、取り戻す!!

並河 私は食べ物から国民の健康を守っていくことも大切だと思います。体の内側から来るエネルギーをより良い方向に変えないといけませんね。

私は玄米食を65年間続けておりますが、本当に疲れにくい体になるのです。実際、私も前期高齢者になりますが、元気ですよ。1時に寝て、5時に起きる生活を数十年続けても疲れが残りません。それはやはり食生活を気をつけているからだと思います。

玄米食が中心で、乳製品や肉は週に1・5回で、週に2回は食べてないかと思います。やはり米や魚や納豆や根菜類、そして佃煮や塩辛が多いですね。そして、海藻類やシジミの味噌汁のほかに、ネギ味噌生姜や梅醤油番茶を飲んだりしております。

欧米人の食生活である「肉、小麦粉、牛乳」を中心にした食生活は私たち高齢者には必ずしも向かないようです。若い方は、このような食べ物に適応して、その子孫も生き残るのでしょう。しかし、日本人本来の強さ、元気さは減ってしまうのではないかと心配しております。

資本主義経済の時代の流れは消費文化ですからね。ですが、日本的な発想で、日本の文化を守るための生活をして、東洋文化と西洋文化のバランスをとってほしいですね。

先ほども言いましたが、ここでまた少し日本の文化について考えてください。時代劇や落語や歌舞伎への興味が日本人に薄れています。テレビでは欧米の野球やサッカーやゴルフやバスケット等の番組が多いが、日本の時代劇や落語や歌舞伎等はほとんど放送されない。これでは日本の若者に伝わらない。

消えゆく日本文化！ しかし日本から新しい地球文明が立ち上がる⁉

並河 また、このごろでは外国の方が出る番組が多くなりました。テレビのアナウンサーはハーフやクォーターの方が増えました。

また、テレビ番組も『Ｙｏｕは何しに日本へ？』とか、日本家屋のスタジオに招いた1人の外国の方のこれまでの人生を、ハンサムな男性と若い女性の2人の司会で聞いていく番組（『ワタシが日本に住む理由』）などです。

このように外国の方がテレビに登場する機会が増えてきたのは、外国の方を日本に増やすためでしょうかね。

と言うのは、コロナの報道も４年目に入り、至るところで地震や津波や街ごと消える火事が増えてきている。

昔テレビで地震学者が「大地震は70年に一度」と言っていましたが、多すぎます。

ところで、次のような《新たな提言》が２０２４年１月９日にＮＨＫで報道されました。それによると、将来の日本の人口は８０００万人規模で安定させたいとのことです。今のままでは、西暦２１００年には６３００万人になると、明確な人口推計を示しました。

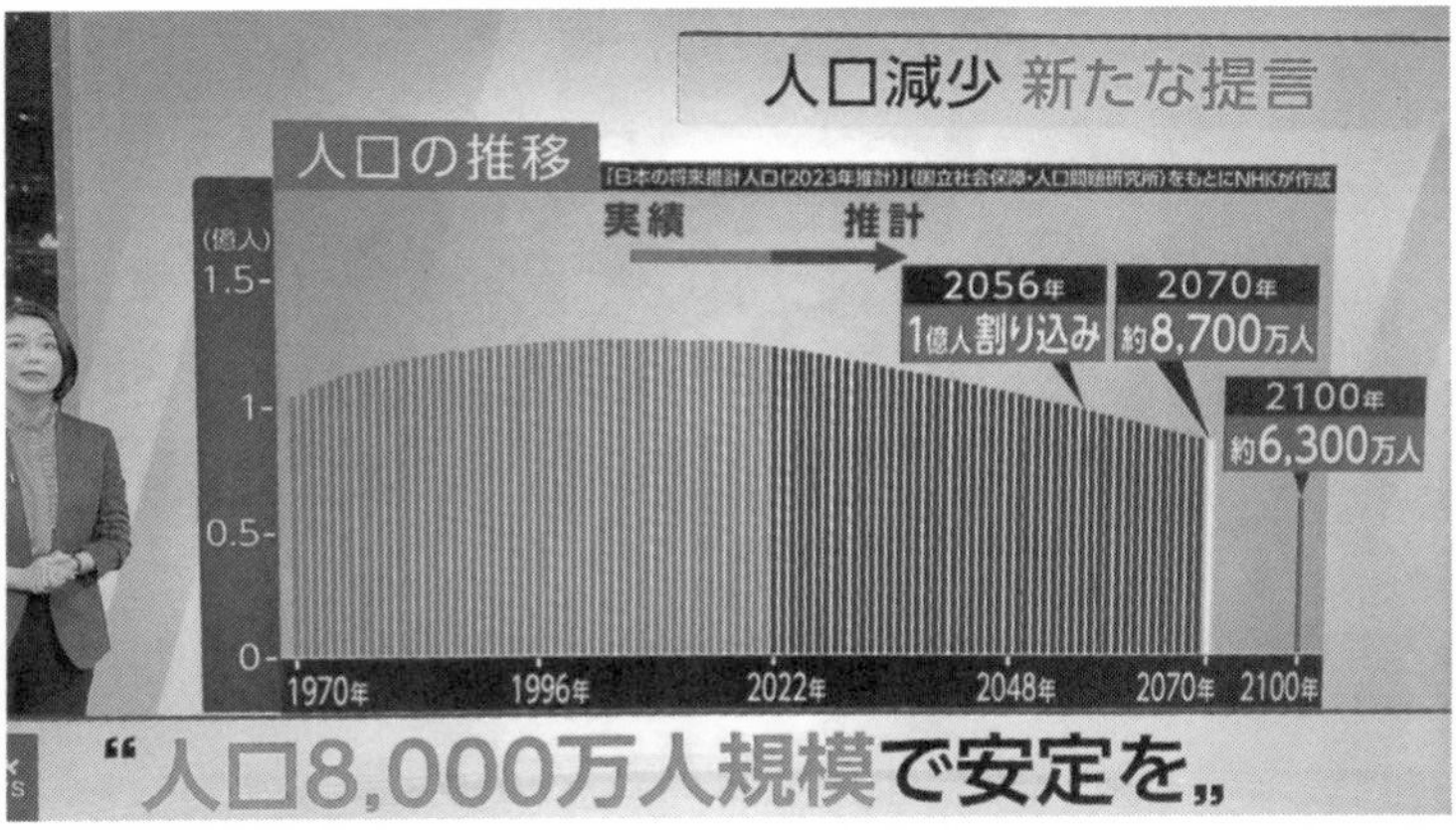

写真

ところで、現在日本の人口は約1億2440万人（2023年10月現在）ですから、ワクチンを打たせるために、コロナによるパンデミックが発生した2020年から2100年の80年間に、人口が約半分になるであろうと判断しているようだ。

それでなくとも、2022年の死亡者数は過去最高で約156万人、子供の出生数は先に述べたとおり、過去最低で約77万人でした。

ところが、1949年のベビーブームのときの出生数は269万人ですから、2022年の出生数は約189万人もあり得ないほど極端に減っています。

上記のように、人口減少に関しての新たな提言するよりは、増やすことを今後に向けて提言してほしいですね。

健康な子供を増やして、日本を活性化させる健全な日本に立て直してほしい。これでは日本文化もなくなってしまう。

また、東京や横浜の街中の看板から漢字が消え、横文字が至るところに増えてきた。日本文化が消えているのか？　ですから、日本文化を皆さまで維持復活させるために、視聴者である一般市民が声を上げて、日本文化の復権を叫びたいですね。

坂の上　日本だけではなく、全世界の人間が劣化しちゃったのです。体が大人で中身が幼稚園児なのです。しかし、日本はメチャクチャにされますが、必ず再び復活します。京都からです。それがどのように起きるのか、なぜ京都から世界平和、ＮＷＯの正反対の新しい地球文明が起きるのかについては、坂の上零の別の書籍に詳しくまとめていますので、そちらの本をお読みください。ヒカルランドの刊行です。坂上田村麻呂と、空海にその秘密が隠されていました。

並河　欧米の文化が増えてきたことは良いことですが、食生活が大きく変わることは心配です。

日本文化が変わってきた事実を認識して、日本国民一人一人が多くの人たちに広げていこう、そういうところから国民一人一人が変わっていくことが大切かと思います。何度も述べますが、私は特に塩が大事と考えます。味噌・塩が大事。塩は還元塩です。よく流通している塩は、酸化塩なのです。蕎麦もすごく大事。ところがテレビでは、塩が大切と言わなくなりました。欧米の文化でチーズや小麦粉ばかり宣伝している。これでは日本人が日本人ではなくなってしまう。もっとみんなが日本の食文化と日本の伝統文化を守らないといけませんね。それにはテレビや新聞等の報道機関に問題があるのかもしれません。

色々なところで私は次のように述べてきましたが、なかなか取り上げられない。

例えば、病気の原因は、外的要因である「菌や天候の変化やストレス等」と言われておりますが、別の角度から捉えると病気の原因は、内的要因で、大きく分けて3つが考えられる。

即ち、外的要因である「疲れや環境の変化」で、
①免疫力が落ちたときに、その動物に合った食事、食律が間違ったときに病になる。
その例として、１９９６年の狂牛病の原因は、牛に肉骨粉を食べさせて本来の食事である草とは違うものを食べさせた。食律が変わった。
②免疫力が落ちているときに、保存料や添加物などの化学薬品の過剰摂取による病。
これがアトピーや帯状疱疹のような病ではないかと思われる。
③免疫力が落ちているときに、糖質やタンパク質や脂質の多いものの摂りすぎによる病。即ち、美味しいものは糖質とタンパク質と脂質が多いことから考えると、要するに自然界の動物にはない、食べすぎ状態になっている。これも病の元凶かと考えられる。

坂の上　おっしゃる通りです。日本の文化を、日本の食生活や日本の精神や日本のあり方をもう1回蘇《よみがえ》らせていくっていうことが大切になるでしょう。

細川　日本国民は大半が貧乏人ばかりですので、物を買えません。高いものを買おうと思っても買えないです。昭和30年あたりの食生活、働き方、遊び方に戻ったほうがいいです。

東証上場日経225のうち、31％の株式を外国人が所有しています。乗っ取られています。地方に行ったらその場でものを買ってあげてください。

日本人同士でも経済を回していく必要があります。どんどん会社が潰れていきます。会社が雇い止め、自主廃業、倒産破産していき、近い将来には3000万人の失業者が出ることが推定されております。4人に1人が無職ということになります。農家と漁師と仲良くしておいてください。

根元の答えはここにある！
日本人はなぜ「米・水・塩」を神様にお供えしてきたのか⁉

並河　先ほども述べたように、実際に元気な人の職業の1つは漁師ではないでしょうか。海藻、魚を食べて、太陽の光を浴びながら塩（化学薬品の塩化ナトリウム99%の塩ではない）をかなり空気中から摂取しながら働いています。

漁師はとても元気で、鬱のような方はいらっしゃらないように思われる。ただ漁が終わると、皆さん酒をたっぷり飲む習慣を少し減らすと良いのですがね。

私は塩がとても大事なものだと思っているので、塩でも特に還元塩を摂っています。昔の日本人は神様に「米と水と塩」をお供えしていたぐらい、塩の大切さを知っていたのでしょう。

だから「米と水と塩」は国が管轄していれば、国に税金が入ったのですね。ついでに、「酒やタバコ」のような嗜好性があるものも国民が手にすれば、その後も手にしたくなるので、国には税金が入る。だから、今日のように資本主義が進んでいないころは、「米、水、塩、酒、タバコ」は国が管轄したのでしょう。

ますます弱くなる⁉ 甘いものが好きな人々をわざと作っていないか⁉

並河 大事な事柄ですので繰り返します。米は食べ物の代表、水は飲み物の代表、塩は天然の薬の代表なのではないか。なぜなら、砂糖と塩を置いておくと、虫は砂糖に寄ってきますが、塩には決して寄り付かない。

つまり、私たちが砂糖をたくさん食べて、砂糖漬けの体になると菌が私たちの体に寄ってきて、風邪をひきやすくなる。塩はその反対なのではないか。

40数年前、大阪大学の某教授がウサギに砂糖を用いた実験をされました。同じ親から生まれたウサギを2つのグループに分けて、野菜を砂糖漬けにしたものと、そうでない野菜を与えました。

すると、砂糖漬けの野菜を食べていたウサギは、体が弱くなり、骨格も貧弱。そこに結核菌を注射したら砂糖漬けの野菜を食べたウサギのグループは結核菌にやられてしまいました。

今日の若い日本人と同じような現象でしょうか。甘いものが好きな若者たちは、昔の青年に比べるとあまり健康的ではないように思われます。ですから、菌を寄せ付けない食生活を送るために還元塩を摂ることを勧めたいですね。

さらに重要なことが、糖分とタンパク質の混合物を「ムチン」と言いますが、これを溶かしてくれるのも塩、特に還元塩です。例えば、魚の表面はヌルヌルしていますが、還元塩で洗うと魚のヌメリ成分がついた手のひらが綺麗になります。

すなわち、塩（特に還元塩）は菌を寄せ付けないだけではなく、「糖分とタンパク質のムチン」を溶かしてくれるのです。このムチンが血管内で血栓に、リンパ管内にリンパ腫を作るのはないか。がんもこのムチンと脂肪と化学薬品の塊のようだ。

コロナで死んでいる人の研究でロシア保健省は●●●していた！
これはとんでもなく大切なことだ!!

並河 ところで、先述のように、がんの成分は「糖とタンパク質と脂質」と、国立がん研究センターの書類にかつては書いてありました。がんの成分が糖質とタンパク質と脂質であるならば、がんをデトックスする1つの方法は還元塩を活用することです。塩は糖質とタンパク質でできたムチンを溶かすからです。塩はまさに天然の薬です。

ここでとても大切なことをお伝えしたい。ロシアの保健省の情報によると、コロナで死んでいる方の血液が酸化し、血栓が出来て、その血栓が肺や心臓などの臓器に付着し、呼吸ができなくなり、心臓の働きが悪くなって亡くなっているとのことです。ロシア保健省が3年前の2020年の3月末ごろに報告しています。

この情報の後、コロナワクチンで亡くなっている方々の情報が次のようでした。

①　コロナワクチンの成分である鉛の《酸化グラフェン》によって、血管内などに『硬いスパイクタンパク』が作られる。

②　また、さらなるコロナワクチンの成分である《水酸化グラフェン》によって、硬いタンパク質の『ナノカミソリ』などが出来る。これら硬い『スパイクタンパク』や『ナノカミソリ』によって血管が傷つき、その傷を修復するために血小板が血栓を作る。この血栓で呼吸ができなくなり、心不全などを起こして亡くなっていると報告されていた。

③　さらにワクチンの中の『ナガレース酵素』によりビタミンDが破壊され、このビタミンDを必要とする免疫力を上げるマクロファージが働かなくなり、ついには免疫力を落として亡くなる方も多いと報告され始めた。

ところが、このような解釈は、病は菌やウイルスやストレス等の、外部から来る目に見えないものを原因と捉える西洋医学論によっているように思われる。ですが、私は次のように解釈できるのではないかと思います。それは内的解釈論なのです。

ワクチンによる血栓デトックスにもがんと同じ「還元塩」が有効かもしれない!!

並河 血栓が出来るのは、外から来る「ストレスや菌やウイルスや酸化グラフェンや水酸化グラフェンやナガレース酵素等」からではなく、体内に「血栓ができるもと」がある。

外から来る酸化グラフェンや水酸化グラフェン等は血栓の原因ではなく、これらは間接的な触媒に過ぎないのではないか。本質は、血栓の成分である「糖質やタンパク質や脂質」が体内にあり、これが外部から来る触媒（酸化グラフェンや水酸化グラフェンやナガレース酵素等）によって血栓になる。そして、この血栓が死に至らしめる。

ですから、「糖質やタンパク質や脂質」をしばらくの間体内に取り入れないで、重曹や還元塩を使って体内に残っているこれらムチン等を溶かせば良いのではないか。

さらに、これら動物性タンパク質や脂質は基本的に体温が人間より高い約40度の熱を必要とするので、風呂は熱めがいいかと考えられる。ですから、前から主張してきたように45度の風呂に入り、体内にある動物性のタンパク質や脂質、糖質、化学薬品等を体内から出させれば良いと思われる。

欧米人は肉やチーズやピザやヨーグルト等でタンパク質や脂質を摂りすぎているので、日本人よりコロナワクチンでバタバタ亡くなっている方が多いのではないか。一方、日本人はなぜワクチンを7回も接種しなければならないのか。それは、日本人は欧米人より、肉や乳製品のタンパク質や脂質や糖質をたくさん摂取していないので、体内に血栓が少なく、肺や心臓が元気なので生き延びているのではないか。

医療では逆のことが奨励されていないか⁉

並河　ところで、なぜ神様に昔から「米、水、塩」を捧げたのか。昔の日本人はわかっていたのではないか。塩は天然の薬、特に還元塩はそうです。ところが、この素晴らしい天然塩をなぜ減塩する必要があるのか。また、減塩を勧める医者も多いし、マスコミでも塩がいいという発言がなされません。

さらに、テレビでは至るところで、バター、チーズを勧めてタンパク質をたくさん摂るよう伝えている半面、これらを溶かす塩を減らすよう勧めている。

還元塩はタンパク質と糖質で出来ているムチンを溶かすと述べましたように、「糖質や脂質やタンパク質で出来ていると考えられるがんやコロナ」には、還元塩が有効なのかもしれない。

Part 2

完全崩壊

complete collapse

complete collapse ❶

どっちも地獄⁉ あらゆるものが二極化する超監視社会では、どちらかを選ばなければならない‼

大逆転の生き残りを目指せ！
日本にはまだまだいっぱい天才的な技術があるじゃないか‼

坂の上　円は変動相場でありますので1ドルが200円を超えると、価値はなくなるという事実なのですが、それはドルと比較するからです。他のものと連動するからです。そうじゃない独自通貨を作ればいいのです。変動相場じゃない通貨で、利子を取らない通貨で、経済的なバックボーンもあって普通に等価交換をしていれば、経済危機は起きません。

なぜなら、中身が空っぽじゃないから。私は金本位制にも懐疑的です。なぜなら、金を見てないからです。その金が本当にあるかどうかわからないからです。

以前にも、ロスチャイルドは金がないのにあると言ってお金を刷って銀行を作った歴史があります。また200年前にマイアー・アムシェル・ロスチャイルドがやったことと同じことの繰り返しにならないとは限らないと思っています。

すなわち、金やCO_2排出権、レアメタル、エネルギーというようなものを経済のバックボーンとしない。そこで、みんなが生きていると絶対に必要なものってあるじゃないですか。まずは衣食住。それから移動すれば、いろいろ、旅費もかかるし何もかかるし……と、これからは、こういう生きていく上で必要な経済それ自体と人口そのものを資産としてみたらいいんじゃないかと思います。

経済的にもいろんな面でなかなか浮上する影が見えないです。ただ見えるとすれば、1個だけ、日本には、やっぱりまだ素晴らしい天才的な技術があります。本当にすごいものができております。世界を変えるものができております。それを経済の主軸としてやればいいです。

そうすると多くの人がそれで食べていけるじゃないですか。産業もできるし、そういうものが日本には何個もあります。ただ、日本国内でできないです。いろんな意味でできないのであれば、Welcome to India なのです。インドでやったらいいと。インドだったら私のファミリーが守ってくれるし、敷地もある。そこで工場を作ってインドから日本へ流通させて、何か日本で利益になるビジネスモデルを組めばいいです。

依存と共殺社会から脱出する方法はあるのか⁉

並河　お金はもちろん大切で必要なものですが、次のような見方もあるかと思います。

昔、奈良に行ったときに、あるお寺で尼さんが掃除していました。

その掃除の仕方がゆったりと微笑《ほほえ》みながら行っていたのです。私は尼さんの掃除をしている姿を見たときに思ったんです。

この尼さんにとっては、掃除は私たちが考えている掃除と違って、仕事ではなく、人生そのものなのではないか。即ち、お金は大切ですが、お金だけじゃなくって、掃除1つに対しても喜び、幸せがあるのだと教えられました。掃除は単なる仕事ではなく、心の余裕を持って、幸せや喜びを感じながら人生そのものを楽しんで行うものなのかもしれません。

私を含め、掃除のようなことは後回しにしている人が多いと思います。多くの者は「今だけ、金だけ、自分だけ」になっている。この考え方はキリスト教文化を中心にした欧米的な発想なのかもしれません。経済だけでなく、心の問題というものもやはり見ていかなければならないのでしょう。

坂の上　私が見た限り、心の余裕を持っていて、心が豊かな人は金持ちに多いです。むしろ貧乏な人のほうが心に余裕がなくて、心が貧しい。これは事実なのです。お金に対して、お金がすべてじゃないというようなことをよく言いますが、その人を一番助けるものもお金なのです。

組合を作ってデジタルマネーを作って、関係を作ってその中でやり取りしている分には大丈夫です。ただ、これも問題があって、やっぱり自立と共生です。自立が先に来る。本当にそうで、経済的な自立をしていない人が１００人２００人集まったら必ず分裂して問題だらけになって足を引っ張り合って、醜い争いになって終わります。

細川 依存と共殺社会から脱出しましょう。皆さんまた50年やるのですか？ 自民公明維新、お金がご心配でしょうから、お金を拝んでいる。税金はお金でしか納められません。

米やダイヤ、ビットコイン、リップルでも納められないです。円という法定通貨に替えてからしか納めに行けません。払うべきものは納めようというのが私の主張です。金集めに走らないことです。

特に都会の皆さん、この1都1府10県、本当空気も水も人の心も、もうすさみまくっております。ご愁傷様です。ご自愛ください。

私は東京におりました中3高1の年齢のときに、世田谷区等々力2丁目で思春期を過ごしました。私の人生は楽しかったのですが、そのころに見た東京には、まだ情緒があった。そして人情がありました。

病気がない!?　自然界の野生の動物から学べば、道は見えてくる!!

並河　地方と都会の大きな違いの1つは、都会は区画整理された住宅地になっていて、狭い土地です。地方は区画があまりなく、もっと広い。地方の区画された分譲地でないところは、まだ資本主義が浸透していない地域なのか、自宅にミカンの木や柿の木などを植えている。

お隣さんと物々交換ができるので、わざわざスーパーに買いに行かなくても少しは平気ですね。ですから、地方は都会ほど資本主義経済に頼らないで生活できるところがある。

大家族や隣近所とのお付き合いがあり、高齢者は家族や近隣の助けを頂けるので高い老人施設に行く必要はない。がんじがらめの経済に縛られないのです。

私は還元塩を使って歯を磨いて、体や頭も洗っています。つまり、洗剤を買う必要がないのです。

このように、地方には都会より自分たちでできることをしながら、他の方と物々交換もすることなどで自立した生活があるのではないか。自然界の動物のように、まさに資本主義に染まることなく自立して生きているのではないか。

自然界の動物は貨幣経済も薬もなく使わないし、事実上病院もない。

このような姿もまた、自立した生き方の1つかもしれない。

ところで少し飛躍しますが、自然界の動物には病気はないのではないか。自然界の動物たちは弱肉強食であり、怪我などはあるが、病気になっていないように思われる。
ところが、人間社会と関わりが強い動物たちの犬と猫と牛と鶏等、もちろん人間自身も色々な病気というか、病気のような現象や症状に悩まされている。

国民が馬鹿だったから人間家畜にさせられる⁉
答えはそれ以外にないのです!!

細川　なぜ今のような日本になってしまったかというと、国民が馬鹿だからです。ほかに理屈は必要ありません。死んでも馬鹿は、治りません。人口は6000万になります。そこから立て直しましょうよ。今焦る必要はないので、ドーンと構えておいたらいいです。

坂の上　究極的に言えば国民が馬鹿だからっていうことで終わっちゃうわけですが、これから本当に二極化します。先ほどもお伝えしましたが、New World Order（NW

O）の電子マネーになっていくのか、独自経済圏を作って相互に自立した者同士が共生社会を各地で作っていくか、いずれかになります。日本国にてNWOのような社会が樹立されてしまう近未来では、皆さんを人間家畜のようにしていくでしょう。

細川 現状を変えるには、18歳以上の有権者が主役です。選挙権を持っている皆さんです。17歳以下には責任はございません。私は現在63歳ですが、63年間引く20年間、43年間の責任があるのです。罪深いわけです。43年分の罪をかぶって今生きています。これをなんとかお返ししなきゃいけないなと思います。

坂の上 あらゆるものが二極化します。どちらかを選ばなければいけないです。ワクチン打つのか打たないのか。ちゃんとしたもの食べるのか食べないのか。

これから完全監視社会になってしまって、そして人間をゾンビとロボットのような形で数字で支配してきますので、いろんなことで知恵が必要です。

結論から言いましょう。あなたが本当に喜んでいて、今生かされていることにも感謝していて、この人生に喜びを感じていて、プラスのエネルギーがあなたから湧き出るようにあふれてきていれば、なんとか生き残っていけると思います。

本当にそれだけのことなのです。

プラスのエネルギーの人が変なものを食べても多少は解毒してくれます。いい気分でいるとデトックスの力がとてもアップするからです。

それから備蓄をしていようが東京から離れようが死ぬときは死ぬから。私は核シェルターを作りましたが、死ぬときは死ぬのです。我々は生かされています。はっきり言って。

世界は不平不満、文句だらけの人々であふれている!?

坂の上　例えば、あなたがこの宇宙や地球や生命を作った側にいたとしましょう。そしてあなたが創造主だったとしましょう。

いわゆる「偉大な何かの存在」、Something Greatです。

今の地球上にいる人間たちをどう見ますか？ その中のすべてが尊い人と思いたいけれども、それは違うかもしれないと私は最近思います。

したがって、今回のパンデミックも必然なのかなと最近思うようになりました。もしかしたら本当に人口を減らす必要があるとSomething Greatが思っているかもしれないと最近は思います。

それくらい一般の人間の質が落ちたのです。

皆さん、ヒトラーはある意味正しかったと私は思います。「世の終わりには人間がニュートラル化し、男か女かわからないようになっちゃって、男が男らしくなくなり女が女らしくなくなり、体は大人なのに、中身は幼稚園児みたいで、救いがたいほど人間が劣化してしまう。社会はもうにっちもさっちもいかない時代が来る」とヒトラーは見抜いていたのです。末法の世、終末です。

私はヒトラーを狂人だとは思わないです。良いとも思いませんけれども。

最近は、オーガニック好きな方々が集まると、ものすごくわがままな人が多いって感じます。オーガニックのことを好きな人たちはもっと人間的にできていそうなものじゃないですか。もっと天下国家のために生きようと思っていそうじゃないですか。律法主義な人で、ちっちゃなことにこだわって大きなところが見えなくて、そしてしょうもないところで喧嘩している人が多かったです。

私たちに本当に必要なのは、もっと高いところから俯瞰する能力なのです。私も含めて、たかが人間、しょうもないのです。いろいろわかったと思っても天から見たら大したことない、ということさえわかっていたら良いと思います。

したがって、お互い助け合わなきゃいけないときに来ていると思います。それができるかどうかを逆に言えば、個人の人間の質と人格、魂の浄化ができるのかを試されているのだと思います。

私は共生社会を作ろうとして、失敗しました!!
人はあまりにも劣化した! 人口調整も必要なのかもしれません⁉

坂の上 大切なことが、自立と共生なのです。私は共生社会を作ろうとしました。失敗しました。認めざるを得ないでしょう。経済的に自立してない、精神的にも自立してない、人に依存しようとしていたり、人に経済を依存していたり。例えば、お金を稼ぐ人はずっと同じ人。ずっと頑張って働く人も同じ人。ずっと文句言っている人も同じ人で仕事にもランクがあるのです。

やっぱり大変申し訳ないけど結局一般社会と変わらないです。ホワイトカラーとブルーカラー2:8の割合で分かれてしまうのが事実です。

すなわち、お金を稼ぐ能力がある人がリーダーシップを取り、そしてお金を稼ぐ能力がある人はあらゆる能力に秀でています。そうじゃない人は秀でていないことが多い。文句を言うことが多いです。とにかく稼ぐ人のほうが文句を言わなかった。頑張る人のほうが言わなかった。ブツブツ言っている人は大体そこまでやってない人です。現状がそうなのです。世界中がそうなのです。訴訟だけ文句だらけです。あるべき感謝はなく、不平不満だらけです。何かあったらすぐ学校の先生は訴えられます。

何か子供が悪さをして先生に注意されても、保護者が先生に怒鳴りに行く社会になりました。そんなことになっちゃったんです。ある程度の人選は必要です。したがって、本当に並河先生がおっしゃった心の豊かさが大事だと思います。お金じゃ買えないものあると思います。しかしそういうものを享受できるのは、残念ながらお金がある人なのです。これが事実です。お金がある人しかそれを享受できていないのが事実です。

今からその差がはっきりしてきます。したがって、下のほうから死んでいくってことになるわけです。なぜなら、毒しか食べられないからです。教育レベルやいろんな角度から見てもやっぱりある程度の家や育ち、ある程度の財力、ある程度の経済力、ある程度の経済を生み出す力を自らの中に持っている人であればあるほど、教養も高かったし人格も高かったのです。

ある意味、人口調整は、仕方がないのかなと思うことも、悲しいですが最近はあります。こういうこと言うと本当に嫌がられると思うのです。でも私は嫌がられること覚悟で言いますけど、地球１００億人になったらどうしますか？　それが目前です。血みどろな戦争なります。食料もなくなります。今の我利我欲の、大人の体をした、中身は幼稚園児、人格と心が劣化した現代の人間のような生物が地球上にあふれたら、地球が地獄になってしまいます。心が天国の人々が多いと、地球は地上天国になります。しかし、今の世は、心が地獄になっている人々が多くなってきました。こんな心の汚れた人間ばかりが増えたら、人間は地球のゴキブリになるので、「もうこんな人間ならいらない」となるわけです。だから、ある面、仕方がないと思っています。人間があまりに劣化したからです。

支配する者と支配される者の２つ！　強い者が弱い物を食らう⁉　歴史はずっとこうだった‼

並河　本当に言いづらいことなのですが、例えば動物の世界はライオンがシマウマを襲う、弱肉強食な世界です。人間社会も同じではないかと思います。

例えば、肉食が多い欧米人がライオンで、草食系の食事が多いアジア人がシマウマのような弱い動物とする。残酷な言い方ではありますが、人間の社会も同じように弱肉強食だから、世の中を裏で支配している者たちは、地震や天候不順やコレラ、そしてコロナなどでパンデミックを起こさせて一般市民を混乱させているようだ。

ですが、鹿や馬たちは天敵の動物から襲われる恐怖はあるが、私たちより生き生きと生活しているかのように私には感じられる。

細川　揺り戻しが来たということです。今まで黒人に対して、あれだけ奴隷貿易をして、人身売買をし続けてきました。そんなことをしてきていない、我々日本人というのは、白人の支配人である中国人やそのまた下のコリアンとは違うということを、自覚して気高く生きていきたいと思っています。

株券やお金や債権とか持ってらっしゃるんでしょうけど、それをちゃんと物と人に換えるということです。備蓄は2週間ずつローテーションしてやってください。缶詰を買い占めてはいけません。災害時にはコンビニは3日でなくなりますから。

並河 「動物」の字を見ていただくとわかります。間にひらがなの《いている》を付け加えると、「動いている物」と読める。

即ち、動物は「動く物」なんですね。したがって、健康維持のために、体を動かすことが必要なのでしょう。経済と同じで、経済も流れていないとダメなのです。

ところが、植物は「植わっている物」です。植わっているものなので、動物たちに食べられないよう、植物は毒を持っているわけです。ですから、人間も含めた動物は、体をいかに動かして、体を温めていくかが大切です。

日本の紙幣は支配層の持ち物、硬貨は日本政府の持ち物です!!

坂の上　現物のお金がないと経済は成り立ちませんので、ある程度の現物は必要ですが、お金の形態を変えて独自マネーを作るっていうことなのです。お金だけあってもダメで、経済も自分たちで回して、その中で生活をするということです。

細川　政府貨幣1円、5円10円50円100円500円これと2000円と5000円玉と1万円玉を政府で発行して、物としてやり取りをする。

坂の上　それもいいと思いますが、世界の金融が変わります。世界はデジタル化に進んでいます。これは元には戻らないのです。もうすぐ、すべてのマネーは、仮想通貨、電子マネーになるのです。すると、世の中、ガラリと変わります。

本書では、マネーについては、テーマが違うので、私はあえて語りませんが、すべてのマネーがデジタル化し、いずれチップとなってゆくでしょう。2000円玉の発行は、国会で通らないです。通貨発行権はとても強力な利権なので。一番コインの中で、物質としての価値があるのは10円です。資産価値としては10円以上の価値があります。

1万円札は20円しかないけど10円玉は100円以上の価値は少なくともあります。銅をいっぱい持っていればいいです。10円玉で資産を持っていたほうがいいこともあります。少なくとも10倍です。

並河 2024年2月現在。銀は1g約125円で、金は1g約10800円ですから、金は銀の約100倍です。ということは、銀は金の100倍も量がかさばるので、銀を買い集めるには保管場所がかなり必要です。

坂の上 そうです。だからコインや物々交換が難しいっていうことでやっぱり、電子マネーがいります。そしてITの時代になっているので、結局すべてのものはWebでやり取りすることになっています。ITと金融は一体化します。

田舎に疎開先を作る！　これは防衛策となります!!

細川　田舎で、のんびりと山に帰ろう。それが一番いいよ。リモートで仕事もできますし、日本はそんなに広い国でもないですので、田舎を大切にして、友達に連絡取って、会うようにして、何かのときは2年でも3年でも疎開できるところを探しておくことが一番の防衛策だと思います。

坂の上　そして疎開先は、できれば関東から西を選びましょう。あんまり言いたくないですけど、日本の東はさけるべきです。東京と、東京から東です。新しい生活の居は、京都から西。とにかく、西側がいいと思います。理由はきつい内容なので、言えません。もうそれだけにしておきます。

並河　日本の面積は世界196カ国ある中で、61位です。それなりに大きい国なのに、日本人は狭いところに集まって、実は集められて資本主義経済の中で効率よく生活を送っている。地方はたくさん土地が空いています、もっと地方を活用したいですね。

細川　私たちが完全に馴染むのには相当時間がかかります。村八分にされることもあります。移住しても3年4年ぐらい口も利いてもらえない田舎が多いのではないですか。

complete collapse ❷
共生コミュニティでは、一人一人が何らかのプロフェッショナルになる！ついていく人ばかり、雇ってもらいたい人ばかりの世界は、もう終わったのです!!

並河式病気の捉え方では、がんや腫瘍の原因はすべて体内の蓄積毒の仕業!?

並河　病気になったら病院へとほとんどの方は考えますが、私は病の原因を次のように考えているので、そこを解決してから病院に行くことを考えます。

即ち病は、疲れて免疫力が落ちている際に、①食律の誤り、②添加物や保存料等の化学薬品の過剰摂取、③食べ物の過剰摂取、これら3項目のときに起こる現象と捉えている。

具体的に、病気にはどのように心構えをしておけば良いかを考えたみたい。
例えば、食べ物を100食べたとして、70ほど便やお小水や汗等で体内から出せたとする。残りの30は体内に蓄積され、これが血管内に血栓、リンパ管内にリンパ腫として残り、またはそれら血栓やリンパ腫が臓器等に溜まった現象をがんや腫瘍と言っているのかもしれません。

この現象を病気と言っているのではないか。病気と言われる現象はゴミが体内に溜まった状態を言い、病を改善するには溜まったゴミを体外に出せば良い。ゴミを出せない人は自力で出す、自力自然治癒力といったものがないのではないか。ですから、整体師や医師の力を借りてゴミを体外に出す、即ち他力を借りてゴミを出させる、他力自然治癒力でデトックスをする。

ですから、足ツボや気功や食事療法などを利用して、出せば良い。このようなことを知っていれば、病気の現象が出たときは薬に頼らないで自立できるのではないか。どうしても出せないときは病院に行けば良い。このように捉えれば、これからは東洋医学と西洋医学の助け合いの時代になるのではないか。

喜んでください!?　病院、クリニックがどんどん倒産して少なくなっている!!

細川　病院が大きいところからどんどん倒産していきます。去年も多く倒産しました。負債額も大きく驚いています。新型コロナ感染拡大で病院での受診控えが広がりましたが、感染状況がヤマを越えた2022年度もクリニックなど一般診療所の倒産は増えています。

2022年度（4～3月）の診療所の倒産（負債1000万円以上）は22件で、過去20年間で最多の2009年度と同数だったそうです。病院はだんだん少なくなりますので、喜んでください。

エステを超えた治療効果：実践者の声から

並河

① この方は脳の中に、2・5㎝ほどのがんがありました。私が数ヶ月間施術した後、頭から大きなフケの塊が数回出て、しかも口や鼻から7~8回の血の塊が出ました。このフケは糖質とタンパク質と脂質、そして化学薬品です。まさにフケや鼻汁はがんと同じような成分です。

この写真の状態は頭蓋骨の隙間からフケの塊が出てきたのです。(写真A)

② 次の方は子宮頸がんの方で、足ツボや気功などを受けられると、「血の塊などが出ますから、びっくりしないでください」とお伝えしておきましたら、やはり口から何度も繰り返し血が出ました。

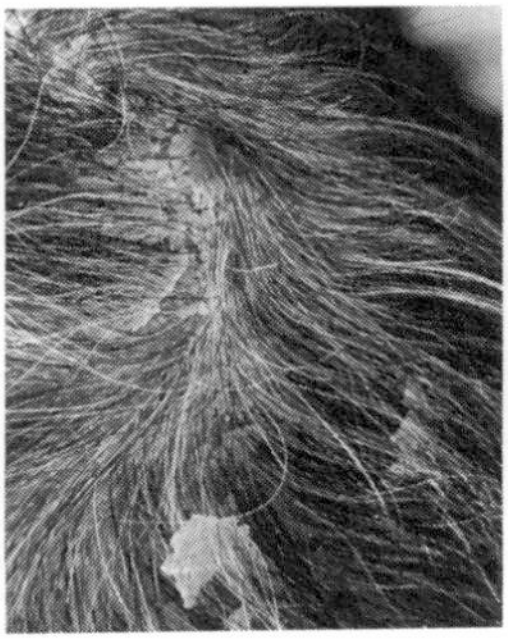

写真 A

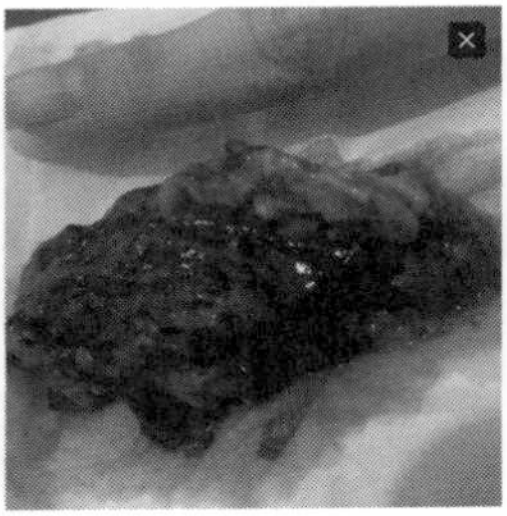

写真 B

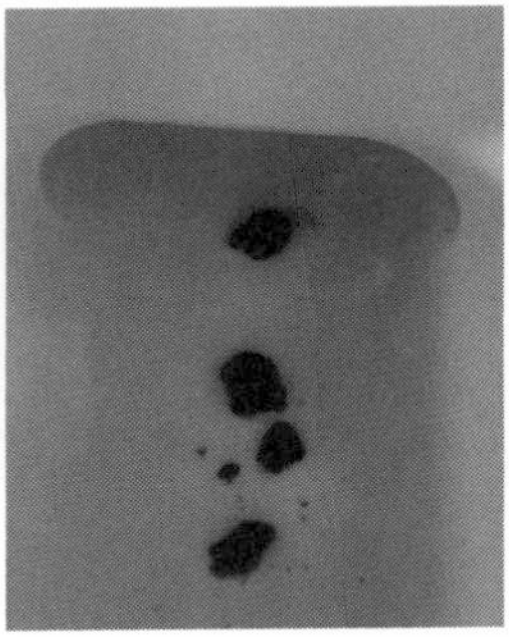

写真 C

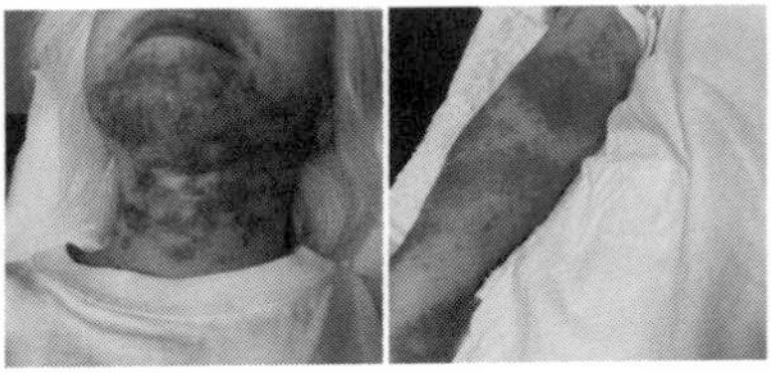

写真 D

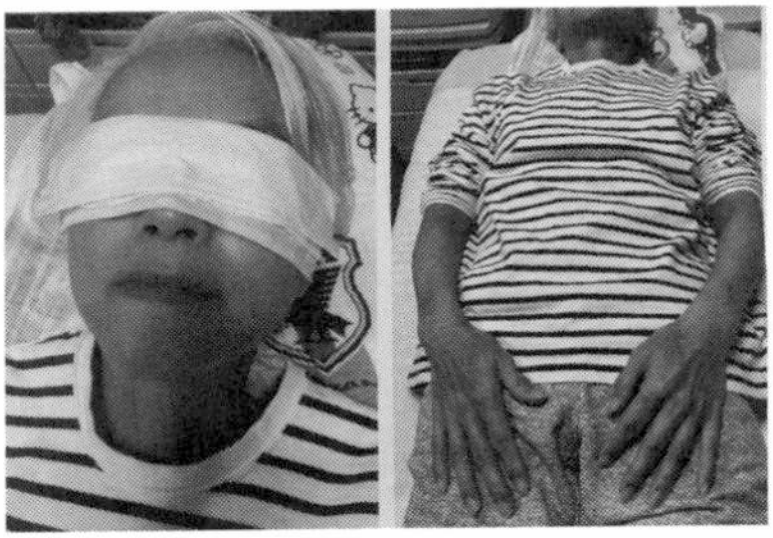

写真 E

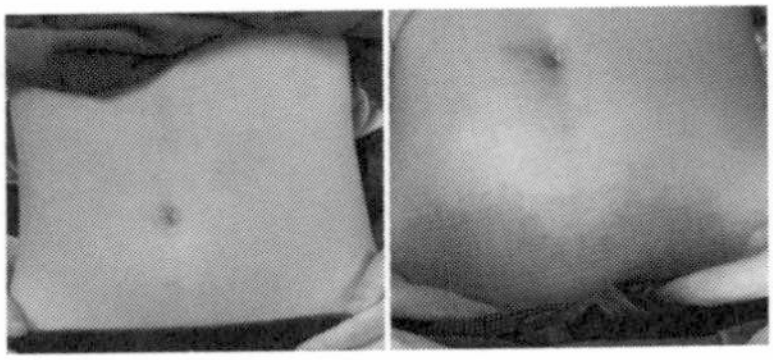

写真 F

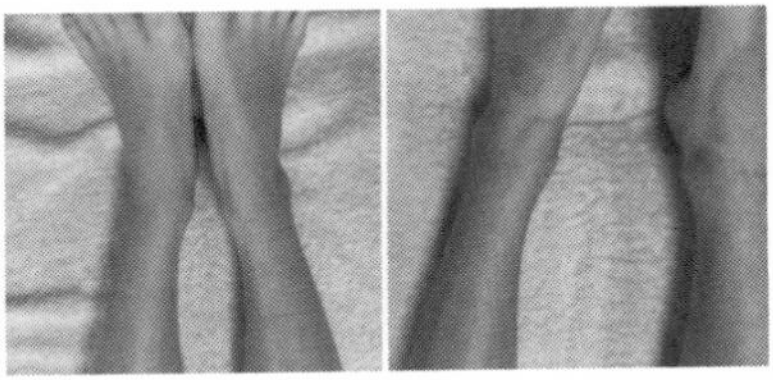

写真 G

そして、この方は口以外の膣から7㎝ほどの肉の塊、即ち肉腫（糖質やタンパク質、そして脂質等）が出てきました。（写真B）

そのとき、この方が次のようなことを言われました。「先生、私の子宮がマグマが燃えているみたいに熱いのです」そこで私は、「もうちょっと頑張って、たぶん10日目ごろに何かが出てくるかもしれません。頑張って」

予想した通り、彼女が膣が熱いと言われて12日目に、彼女の子宮の内に付いていたと考えられる子宮筋腫が高熱で溶けて剥がれ落ちてきたようです。予想した通りでした。

そして、出てきた約7㎝の「脂のような肉の塊」の周りにあったのであろう、ゴミと思われるものが1ヶ月間お小水と一緒に出てきました。（写真C）

③　次の方は、最初に左腕の１箇所に１㎝ほどの「ピンクっぽい赤いもの」が出てきたので私のところに来られました。これから気功や足ツボ、そして食事療法で、もっとこのようなものが出ますよとお伝えしました。

施術を受けに来られて数回目に、写真のように首や腕等にたくさんの赤ピンク色のものが出てきました。（写真Ｄ）

なぜこのようなものが出たのかを推理すると、この方は自然食をされていたにもかかわらず、このような赤いものが出たわけです。一般にこのような症状はアトピーと言われるかもしれません。

推理して、この方にお伝えしたらやはり想像していた通りです。この方は当時60歳でした。27歳のときから白髪で、たくさんの白髪染を使用されていた。そのときの白髪染めの薬が頭皮から体内に溜まり、《並河式：足食気功法》の施術である、「足ツボや気功法や整体、そして食生活改善」により、約35年間の白髪染めの薬が出てきたものと考えられます。結局は体内から出すと、綺麗になりました。(施術5ヶ月後、写真E)

④《並河式：足食気功法》の施術は病に効果が出るだけではなく、前のアトピーの方やこれからお話しさせていただく方も、とても重度のアトピーの方で、やはり綺麗になりました。ですから、エステ効果もあると言えますね。(写真F)

⑤ 次の方は免疫力低下の病であるIGg4疾患の方です。(写真G)
この方は埼玉から来られておりましたが、数ヶ月頑張ったら免疫力も上がり、身体のだるさや寒さ等色々な症状が変化し改善されました。

ここで、コロナワクチンを接種されると免疫力が落ちて、IGg4疾患の病で亡くなっていると報道機関が報道しておりました。その1人が歌手の八代亜紀さんでしょうか。彼女は免疫力が落ちて、ＩＧｇ４疾患になられその後亡くなっておりますね。
ですが、私はこの病の方の施術で綺麗に改善できた経験からすると、コロナワクチンを接種された方でも改善できる方もおられると思います。

病気に関することは医師の細川先生に任せ、そして食べ物に関しては、自然農法をされている農家の方々に呼びかけて活動されている坂の上零さんがいるし、農家の方で親しい方が零さんにはいらっしゃるので、その方々が食べ物を作ってくれているのです。

このように皆さんと自立しながら互いに助け合う、このような形は細川先生が言われている「自立と共生」です。

頼られてつぶされないためにも経済的に自立した者同士でコミュニティと通貨を作る!!

坂の上　まとめますと、これからの時代を生き抜く解決法としまして、塩が大事だということと食をちゃんとしたものにしようということ。日本食、日本文化を大事にしよう。そうすれば、自然と生き抜く強さ、元気、精神力も湧いてくるんじゃないかというお話でした。

そして、余分なものを体からちゃんと出していたら病気にもなりにくい。そして医食同源のちゃんとしたものを食べて、日本人は日本食を米と味噌と醬油と塩などちゃんとしたものを食べていたらそれほど間違いはない。そうすれば、一般国民が立ち上がるような動きに繫がります。

そしてもう1つは、これから通貨がほとんどデジタル化していきます。そのときに通貨も2つに分かれます。人間をデジタル管理してしまう通貨とそうじゃない通貨がある。そうじゃないのは自分たちで作るのです。

そして地域ごとにコミュニティを作って、デジタル関係みたいに電子マネーで物々交換をして、他の田舎の人たちと仲良くして、そして生産者やいろんなものを作っていらっしゃる方々と各々が自立して、共生していけるようなコミュニティを作っておきましょうということでした。ただし、人格と魂レベルの高い、愛と感謝のある、経済的に自立した人同士でないと、頼られて、つぶされます。私もそういう体験をしたので、経済を生み出せない人々が集まっても、力にはなれないばかりか、内部から、つぶされてしまうことを体験しました。

「稼ぐ力」「生きる力」を持たない人は自立と共生のコミュニティからもはじかれてしまう!?

並河　特定の食べ物で病になったと思われる重症な方の施術している一定期間は、その方の体を蝕《むしば》んできたと考えられる食べ物をしばらく控えていただくことはあります。一般には、食べ物に対して「この食べ物が体に良い、この食べ物は体に良くない」とは申しておりません。

と言うのは、ペニシリンはもともとは体に良いものではなかったが、それを今日ではより良いものに生かしている。

このように、食べ物も「これが良い、これが悪い」ではない。

魚が良くて、肉や卵が悪いのではない。私自身も色々なものを食べております。私の情報を正確に理解されていない方は、「並河先生は健康のことを述べている割には、色々なものを食べているじゃないか」と言われている方がおります。確かに、私は色々なものを頂いております。

と言うのは、先ほども述べましたように、食べ物は《食べ方、料理の仕方、食べる組み合わせ、食べる時期、食べる場所等》によって違うからです。

そして、食べすぎたら体内に溜まったものを出せばいい。それが自分で出せないならば、医者や薬や整体師等に出してもらえばいい。それはものの捉え方によって色々違うからです。

私は次のように物事を捉えております。最終的には科学と自然のバランスを取ることですね。細かいことを言えば、酸性食品とアルカリ性食品とのバランス、また科学と自然は相反するけども、それをいかにバランスよく捉えるか。

このような捉え方を著書「体内戦争」の中で「相対的一元論」という言葉を使って表し、物事を従来とは違った角度から捉えています。

「相対的一元論」をもう一度考えていただくと、この意味は、物事は相反するけれど1つである。西洋人と東洋人の考え方は相反するところも多いが、人間として見れば仲間である。相対的一元論とは、このような世界の捉え方です。

個々人が「稼ぐ力」をつけることが、コミュニティ成功の秘訣。経済的に他者に依存しない「稼ぐ力、生きる力」を持たない人は新しい共生社会を創ることはできない。

坂の上 わかりました。あともう1つ、私のほうから付け加えるとすると今の現代人は日本人も含めて、何かをしてもらうことに慣れすぎました。

特に戦後70年の教育を受けた人たちは、自分で道を切り開く、自分で相手を説得する、自分でプレゼンする、自分でビジネスする、食いぶちを稼ぐ、というところが足りない。自分で雇われているというのは、実は稼いでいないです。やっぱり頼っているのです。そこがなくなったらどうするのっていう話です。

だから自分以外の人に何かに生存を依存している状態というのがあまりにも当たり前になりすぎて、そしてもう大学高校出たら就職するっていうのが当たり前になりすぎて、自分で稼いで自分で生きていく能力を失ってしまったのです。働いて、給料をもらうことに慣れてしまうと、自分の力で自立し、自分で稼いでいく力を大きく失ってしまうのです。

これは健康も同じなのです。自分で健康になることができるのに何かあったらすぐ医者に行く、何かあったらすぐ薬というのと同じなのです。

私は経済のほうから言いましたけれども、並河先生は健康問題のほうから言いますが、同じことを言っています。自立してないです。誰かに何かに依存するというふうになっちゃっているのです。薬に依存するのか、経営者に依存するのか、会社に依存するのか、社会に依存するのか。とにかく、自分で生きられていないということなのです。そういう人が、田舎に行ってもコミュニティを作っても、結局すぐにお金に行き詰まることになります。

つまり、個々人それぞれが、経済的に自立する力とスキル、実力を持つこと。自立した個人が集まり、コミュニティを作るから「共生」していけます。相互互助ができます。相互互助の徳の高い社会を現実に創るためには、個々人が、強い誰かに依存するのではなく、互いに感謝をする心を持ち、それぞれ個々人が自分で食べていく、自分で経済を生み出す術を本当に自分で持たないといけない。そして、そのためには一人一人が何かのプロフェッショナルになる必要が本当にあると思います。そのコミュニティに経済をもたらさないといけない。

そして、これなら任せとけっていう世界をやっぱ持たなきゃいけない。今ほとんどのことをＡＩがやっちゃいます。平均の、当たり前の仕事であれば、多くの人の仕事がなくなるのです。本当に。

だから、お金じゃないって言ったって解決するのは悲しいかなお金です。ですから、現実問題言っているのです。なので、お金を生み出す力を持ってないといけません。私が提案できるとすれば、今、円安ですから、海外からお金を得る、ビジネスをして利益を得るには絶好のタイミングです。

むしろ、儲かるのです。

円安も大きなビジネスチャンス！
自宅で海外から収入を得ることもできる!!

坂の上　海外からお金を得ている企業は儲かっています。トヨタも増収です。円安のおかげなのです。だから円安が全部悪いわけじゃない。いや、今何がおかしなことになっているかっていうと、日本国内で何も作ってないのです。

部品から何からあらゆるものを海外から買っているから、そのお金が高くて、安くできなくなっちゃったっていうだけのことであって、国内のサプライチェーンに戻していけばいい。そして、日本で作ったものを海外に売るチャンスだと、高く売るチャンスだということです。

そして日本の伝統的なものは海外で人気があるし欲しい人がいっぱいいます。皆さん、自分でECショッピングサイト、副業としてご自宅でWebビジネスをやったらいいじゃないですか。それで日本の物を売っていくことで、海外からのお客さんを入れていく。

日本国内で日本人があまりお金を使わないので、細川先生が言ったようにお金を吐き出しなさいってのは確かに本当にその通りで、日本経済を今復興させる一番いい手段は何ですかって私に聞かれたとすれば、みんなが田舎に引っ越すことです。

本当にそうです。そうすれば、不動産は儲かります。みんながお金使うから経済が回り始めます。なのにしかし誰も使わないです。日本人は恐怖を感じるとお金を貯金したがるのです。

貯金貯金で使ってくれないから今、外国人の方が日本に来てお金を使ってくれる。1泊5万円10万円のホテルに泊まってくれる。高い寿司を食べてくれる。

日本人が行かない高級旅館に行ってくれる、そういう人たちの力を借りなければ、残念ながら倒産してしまう中小企業やホテルが多いです。

だから、インバウンドに頼らざるを得ないっていうのもあるので、自宅でやって海外から収入を得るということを一般のサラリーマンや主婦がしたらどうかと思います。ただし、問題があります。海外に会社がないと日本の税務署に申告することになるから、結局同じなのですが、そこは、後でご相談いただいて海外の会社をうまく使うことによって、税額を下げることができます。

挑戦するのが恐いですか⁉　指示待ちの労働者はもういらないのです！

坂の上　地域ごとにコミュニティを作って、なかなかうまいことといっている話を聞きません。地方創生のリーダーに補助金出すみたいな話も聞かないし、そもそもそういう若いリーダーが育ってないです。日本は、ついていく人ばっかり。雇ってもらいたい人ばかり。何かしたらちょうだいって人ばかり。リーダーがいないです。自分で道を開けないです。指示されないと動けないです。そんな人間ばっかりが9割いたら回らない。

だから２０２５年問題があるのですが、素晴らしい経営者が日本にはいっぱいいいた。

そして現在も日本にはすごい会社がいっぱいあるのです。だけど、後継者が育っていないことによって、社長人材がいないことによって、2025年以降日本の中小企業黒字倒産するのです。これによる経済損失は22兆円以上です。指示待ちの労働者はもういらないです。必要なのは私とか、細川先生とか並河先生とか自分で自営業をして自分で食っていける力がある人たちです。

これから自分で稼ぎなさい。自分で経済を生み出す力、能力を持たなきゃダメだ。人生の9割ダメにしちゃうのです。皆さん挑戦することをしなくなった。みんな言われるのです。

挑戦するのが怖い。

ほとんどの人は雇われたい。奴隷になりたいわけです。ここに真の問題がある。自分で開拓できないです。自分で経済を作れないです。だから経済を作れる人に頼ることになります。

しかし経済を作れる人は全体100人いたら1人か2人です。その1人か2人が9割を食わせるわけです。結局こういう人が最も大事なのです。今の企業でも同じ。トップ1％が稼ぎ、全体を食べさせています。

こういう人が新しい時代を築くのです。多くの人たちは、その人たちに追従してついていく羊なのです。ブツブツ文句言いながら。これが日本人の現状、これを変えない限りどうしようもない、つまり一人一人の能力の底上げ、レベルアップ。自分で人生を切り開く力を付けなきゃダメ。そうでないと、新しい世の、共生と相互互助の徳のある社会の一員にはなれないのです。良い人であっても、誰かに経済、生活を依存している状態であると、共生コミュニティでは、厳しいのです。自分で稼いでいける力を身につけ、自立心、どんな厳しい時代でも、自分で生きていく力と覚悟を持たないといけないのです。

女に養ってもらっている男が多い!?　没落途上国です！

細川　男が身を売る時代です。女に養ってもらっている男性も多いです。若い男はここまで落ちているのです。没落途上国です。大久保病院のところの通りで、女が立ちんぼしているというのをよくメディアで報道されていますが、逆も多くて男が女に買われて連れられている現状です。男性の力がとても落ちている時代です。

力が落ちているというのはまず体力が落ちている。健康でない。病気にならない秘訣は、温かいお風呂です。風呂を1日に2回以上入りますでしょうか？　今の日本人はとても少ないです。夜だけ入る人や朝だけ入る人がほとんどで、シャワーだけで済ませている人が多いです。

しっかりお風呂に浸かりましょう。

私は46、47度ほどの熱いお風呂に30分以上浸かります。ぜひ湯船に浸かる習慣を身につけてください。交換神経が整って免疫力が格段にアップします。本当に大切な習慣なので取り入れてください。

complete collapse
❸

病気は病気ではなかった⁉ 病気と言われているものは、単なる現象であり、症状である可能性が高い⁉

病気の本質について私見を述べます!

並河 病を持ったお客さんの食べ物を調べると、うつ病の方はジュースやコーラなど糖分の多い飲み物やチョコレート等をたくさん食べている。

女性は本質的に甘いものが好きですし、糖質に対して抵抗力があるようなので、男性ほどうつ病にはやられないようです。ですから、うつ病は男性のほうが女性より多いと思われます。ただ、女性は糖質より肉に弱いと言われていますね。

女性は肉を分解するホルモンが少ないと言われているので、女性は肉を食べすぎると病にやられる可能性が多いのかもしれない。もしそうであるならば、女性は肉やバターやチーズを食べすぎるのはあまり好ましくないと思われる。

ところで、世の中で病気と言われているのは症状や現象であって、病気ではないのではないか。たくさん食べすぎたものを出している大便や、多く摂りすぎた水分を出しているお小水などは病気ではなく、食べすぎて、摂りすぎたから体内から出す現象なのかもしれない。

ですから、自然界の動物の世界には病院がないし、しかもコロナで騒がれているときでも、自然界の動物はマスクをしなくても平気なのです（笑）。

実際に、動物は病気になると何も食べないで、じっとしています。

私の施術所にアライグマやワンちゃんを診てくださいと連れてこられた方がおります。ワンちゃんに30分間気功をしてあげたら、最初はそわそわ体を動かして、時折あくびをする。その後はリラックスするような様子で、静かに気功を受けている。気功を受けたワンちゃんは、その日の帰りはもうぐっすり車の中で寝てしまったとのことです。

このように寝てしまうのは、体がとても悪いときに多い。寝ることで病を改善させようとしているようです。寝ることは最大の薬ですからね。

次に2回目の気功をワンちゃんに行うと、1回目よりも何かを感じるみたいで結構嫌がるが、悪い邪気が出たのが「団扇のようなもの」で払うと、ワンちゃんは静かになり、帰りは車の中でぐっすり寝て帰られるとのことです。

動いて温かいところには血栓が出来ない!!
心臓がんや小腸がんがなぜ少ないのか!?

並河　四つ足動物の体温は約39・5度で、このごろの日本人の体温は36・3度ぐらいですね。

がんの病を持ったお客さんは35度台が多い。

牛も豚も約40度の体温で動いているということは、肉も牛乳もバターもチーズも40度で動いている動物から作られている。ですから上記のものを人間が食べたり飲んだりすると、がん患者の体は35度ですからこれらのものと5度の温度差がある。ということは、がん患者の体内では四つ足動物との温度差5度のために、がん患者の体内に固まると考えられる。

固まる、即ち血管内や各臓器内に血栓が出来、時間を経るとその塊である血栓はさらに腫瘍や肉腫を作ると考えられる。

先ほど細川先生が述べられたように、お風呂の温度は45度ぐらいが良いですね。がんが消えるのは42・5度ですから。

なぜかというと、四つ足動物の体温は40度だから、これより高い温度だから42・5℃でがんが消える。実際にがんは温かくて、流れがある心臓や小腸には滅多にないですよ。心臓がん、小腸がんはほとんどないです。動いて温かいところには血栓が出来にくいので、がんができないと考えられる。

ですから、45度の風呂に入ることをお勧めしたいですね。風呂でゆっくり体を温めるには、耳と口を結んだ線のところまで45度の風呂に浸かるんです。首のところのリンパ、それから脇のところにあるリンパを温めるために、脇や脚も広げて風呂に入るといいかと思いますね。こうすれば首や脇や股関節が温まる。

病から解放されるためには、お風呂の入り方や塩の使い方を知ることが必要かもしれません。病をいい方向に変える方法を知っていれば、本当に病気と言われている現象や症状は怖くないです。ですから、病気は怖くないのです。病気は現象や症状なのかもしれません。

ヘソからの赤い血と白い母乳、男性の白い精液と生理の赤い血、2つの成分はほぼ同じもの!?

並河　女性が生理で赤い血を出すのと、男性が白い精液を出すのは同じようなことだと思われます。

皆さん、考えてください。母親のお腹にいる赤ちゃんは「へそ」を通して赤い血を食べています。ところが、母親の体内から世に出た後の赤ちゃんは、母親の白い母乳を飲みますね。

「ヘソからの赤い血」と「地上で最初に口にする白い母乳」はほぼ同じ成分。赤ちゃんの食べ物が母親の体内から世に出た途端に大きく変わったら赤ちゃんはびっくりするでしょうね。赤と白の血液ですよ。ほぼ同じなのです。

このように赤ちゃんが口にする「赤い血」と「白い母乳」の色と成分の関係は、「男性の白い精液」と「女性の生理のときの赤い血」の関係とほとんど同じと考えられる。

生理の現象は、食べすぎて体内にタンパク質や脂質等が余ったから血を出している。出すことはとても健康上大切ですね。余った血液を出せばいいということは次のことも考えられる。

それは、男性も白の精液を体内に貯めすぎては体に悪い、ですから余った精液を出せばいい。出さなければ男性は前立腺肥大になり、女性は子宮筋腫や子宮頸がん等になるのではないか。いかに余分なタンパク質や脂質を出すことが大切かと考えられる。

生理の血、精液など排出されるものを多く含む食べ物は摂りすぎてはいけない!?

並河　さらにもう1つ大切なことだと思われることは、「そのような成分を含んだ食べ物を摂りすぎないこと」ですね。即ち、赤い血液や白い精液はタンパク質や脂質や糖質、そして保存料や添加物等の化学薬品等が多い。ですから、これらを摂りすぎないことですね。摂りすぎれば、温度差で体内に血栓や腫瘍や肉腫が出来てしまうだろうと想像できますね。

前述しましたが、「動物」という漢字を次のように書くと、意味がわかるかと思います。「動物」を「動く物」と書けばわかるのは、私たちの体はできるだけ動かすべきではないかということです。ほどよく肩や足を動かすように、一点を見つめすぎた目を動かしたり、頭の頭皮を刺激して動かしたり、耳を引っ張ったり、伸ばしたりして動かすことです。

病にならないためには、食べすぎないで、ほどよく動かして体内に過剰なゴミ、即ち糖質や脂質やタンパク質や化学薬品を過剰に溜めないことですね。

complete collapse ❹ 行政が麻薬と注射針を配り、盗み放題の国と化したアメリカ！ ホームレスだらけ！ 売春婦だらけ！ ジャンキーだらけ！ そしてDSの拠点は日本に移されたのです!?

真実は勝たないどころか、こうして消されてゆく！

質問者　ものすごく真実のことを話していると思います。結局それでもなんで日本が良くならないかっていうことなのですが、結局国会とか官僚が法律作って強制させるから、企業の人も働く人も結局はおかしいなと思っても従わざるを得ないというか、国とか官僚の命令でさせられているところがあると思いますが、今の話を例えば国会議員の人とか官僚の人にぶつけて、どう言われるか。たぶん正しいほうの意見が勝つと思いますが、それをYouTubeとかで流して全国民に見せてあげれば、結局、国民の半分以上の意見が変わると思ったりします。なかなかそうならないのはなぜでしょう。

坂の上 国会議員が出てきません。恐れて、私たちが言っているようなことは頭の中にもないですから。何かアプローチできる人、4、5人しかいません。国会は多数決なんです。

だから、国民が変わらないと、51％以上の賛成がないと法案もできないです。だから政治で変えようと思うと政権を取らなければ無理ってことなのです。与党が動いてもらうにはどうしたらいいかな。それ言いたいですよね。

そうですが、会う機会がないというか、結局そういう人に相手にしてもらえない。相談窓口があっても結局上のほうには会えないっていうことです。死ぬまで待つしかない。

私は政治活動をやっていたときもあって、今まで見てきた中で思うのは、そこまで真剣に天下国家のことを思っている政治家が少ないということです。国民に動いてもらうことにもならないと思います。YouTubeも10回アカバンです。チャンネルゼロは消されました。約5万人の登録者も消えました。真実はこういうふうに消されるのです。伝わらない。

ゾンビが徘徊する悪夢のアメリカ！　ワクチンを打たなくなった中流の白人には、あの手この手で麻薬が処方されている!?

坂の上　私はアメリカに住んでいたころがありましたが、そのときアメリカは、まだ元気でクリスチャンで宗教心もありまして、ニューヨークは違いましたけれども、南のほうは家族の絆も強くて古き良きアメリカが残っていました。

しかし今のアメリカはどうなっているかと言いますと、すごく悲しいですが、中流階級の白人の家庭に特別な麻薬を処方されてしまいました。

アメリカではワクチンを打つ人がほとんどいなくなってしまったのです。日本人が大量にワクチンを接種している間にアメリカ人は接種しなくなりました。なので、次は歯の麻酔の中に若干の薬を混ぜました。その麻薬は鎮痛剤です。かつては競走馬が痛みを感じないように、鎮痛剤を打ってから走らせたのですが、馬の鎮痛剤の一部をほんの少量ですが人間の薬の中に入れたのです。オピオイドや、ファンティネルです。

それだけではなく、ワクチン注射という形だと接種しないので錠剤にしてしまったのです。強烈なドラッグを少量入れて、薬にしてしまいました。それを普通のクリニックなどで、処方したのです。

アメリカで病院に行けるのは、そこそこの中流階級の人です。ちゃんと定職に就いている層です。アメリカでは毎月約410ドルの保険料を払っています。そのうちの半分を政府か企業が払います。残りの半分を本人が払います。

我々日本人の保険料と同じですが、医療費は2割負担なのです。しかし、アメリカの医療費の2割というのは、我々日本人が10割負担している以上払っているのです。それくらい高い値段になります。

すなわち、1回病院に行くと10～50万円請求されてしまいます。なので、通院したくないので頑張ってサプリメントを摂取してジョギングをして予防を頑張っているのです。病院に通院できる層はアメリカの中でも中流層です。

つまり丸の内の会社員や霞が関に勤めているお役人のような方々と思ってください。決して貧しい人たちや凶暴な方々や不法移民じゃないのです。アメリカの経済を支えている普通の人たちがこのようなひどい目に遭っているのです。ひどいのです。

今までターゲットにされていなかったのですが、不意打ちをもらったのです。病院の薬に危険な物質が入っているとは思わないじゃないですか。その中から中毒になるアメリカ人が多く出ました。現在のアメリカの都市は民主党の強い市では、特にホームレスとなった中流だった白人の麻薬中毒者が急増しています。まるでゾンビさながらの姿です。悪夢のアメリカに成り果てました。

騙されてはいけない！
アメリカの属国のふりをしているが、悪の巣窟は日本そのものなのです⁉

細川　アメリカ人は、ワクチン接種はほぼ強制でした。2回目まで、ほとんどのアメリカ国民がワクチンを接種しているのです。日本は半強制という名の任意でしたが。アメリカも最近、中間層がなくなりました。日本は田中角栄時代である、30年前に中間層がなくなりました。

日本国民は、まだ勘違いしています。まだ俺は貧乏じゃないと。保険という観点でいうと、日本人がされてきた、たどってきたことをアメリカもたどってきているのです。強制的に保険にかけられているのです。保険屋のために毎日仕事をしているのです。

その状況を打破しようとしたのがドナルド・トランプ元大統領だったのです。

わずか1期4年で、実行できるようにしようとしましたがひっくり返されたのです。それが4年前の選挙なのです。不正選挙、あからさまな不正集計です。これも日本と同じなのです。悪の巣窟は日本です。アメリカの属国のふりをしているのが我が国なのです。それに騙されないようにしてください。

坂の上 ディープステイト（ＤＳ）も確かに悪の巣窟なっています。ＤＳの活動拠点も日本に移ったのです。日本で活動して、なんとワクチン製造工場を南相馬、富山、横浜に建てました。アメリカも多くの方がジャンキーになっちゃっています。会社に行けなくなり、生産性も落ちてクビになり、薬物を買い求めるために犯罪に走ります。それに拍車をかけるように、無料で麻薬を配っている地区があるのです。大都市である、ニューヨーク、サンフランシスコでもあります。

私が住んでいた昔のころのニューヨークはかっこよかったですが、今はホームレスのテント村になりつつ、街の中はゴミだらけです。ロサンゼルスは売春婦だらけでびっくりしています。街中に裸のような格好で歩いている女性がいたりしています。今までは、売春婦の女性たちの中に白人があまりいなかったのです。

私がアメリカに住んでいたときにも危険な地域はありましたが、そこにいたのは黒人ばかりでした。そのとき、注射針がたくさん落ちていた記憶はあります。今は街中の至るところに注射針が落ちている状態です。そしてコロナ前までは中流のサラリーマンだった、普通のアメリカ人だった白人たちが麻薬患者でホームレスになっている状態です。

そして驚くことに行政が食の配給とセットで麻薬と注射針を配る始末です。麻薬が切れて、暴れ出し、暴力や犯罪、殺人などが増えるよりは、麻薬を打たせたほうが問題が起きないからだそうです。苦肉の策ですが、もうめちゃくちゃです。そうしたほうがおとなしくなるからです。だから毎日、麻薬と注射針を配給して、そこで死ぬのを待つだけなのです。美しい街だったサンフランシスコは、もはやゴーストタウン。小売り店やレストランは、もうやれない。一定金額までは窃盗しても、逮捕されないので、堂々と盗み放題です。だから店舗を持つビジネスが成り立たないのです。ニューヨーク、ロサンゼルス、フィラデルフィアも同じです。ゾンビタウン地獄のアメリカ社会となりました。インフレで物価が高すぎてアメリカ人の平均の人々の暮らしは総じて貧しくなりました。本当に悲惨な状態です。

前まで日本で言うと、霞が関や丸の内で働いていたような方々がそうなっているということなのです。公務員や一般の人です。本当にかわいそうで、自ら麻薬中毒になったわけではなく、やられたのです。

細川　貧乏一直線です。2024年以降は6000万人が影響を受けるのです。失業者が山のように出ます。覚悟してください。ご愁傷様です。ご自愛ください。

犯罪者は捕まらない!?　サンフランシスコでは950ドルまで、ニューヨークは1000ドルまで盗んでもよくなったのです！

坂の上　このようにアメリカ政府が自国民を虐待して、いじめて殺している状態です。民主党を中心におかしな法案が通ってしまいました。窃盗が許される法なのです。地域によって違いますが、例えばサンフランシスコだったら９５０ドルまでは盗んでいい。そしてニューヨークは１０００ドル以下は、盗んでも捕まらない、あるいは軽犯罪で終わりということで、盗み放題なのです。それがどんどん広がっています。

さらに麻薬と注射針を行政が配っている状態で大変です。薬が切れ始めると、ゾンビのように夜中に徘徊するのです。頭がいかれちゃっているのだろうと思います。ヘロインの50倍の効き目のドラッグなので、頭がいかれていると思うのですが、民家のドアをガンガン蹴ったりするのです。本当に銃を持っていないと怖いじゃないのっていうぐらい危険な状態になっていますし、小売店やレストランが経営できないです。もう無茶苦茶にされて、集団でやってきて盗んでも持って帰るということは、イギリスでも起こっていますし、フランスでも起こりました。最近では、アルゼンチンでも起こっています。世界中です。

なぜ社会が混乱しているかというと、主な原因はインフレです。生活費が非常に上がって、食べられないのです。食べられないから盗んでしまうのです。窃盗しても罰則が少ない地域は、堂々とスーパーマーケットに入って、お代を払わずに食べていくのです。あらゆる店舗で窃盗が繰り広げられていて、店員も見ているだけしかできません。警察も見ているだけという状態です。

サンフランシスコは、昔あれほど美しかったですが、今はゴーストタウンになって殺人率が増えています。昼間から堂々と麻薬を打ち、ゾンビ化したホームレスばかりで、怖くて道もまともに歩けない。悲しいことに、これから、日本もアメリカのような状態に追随していくかもしれないのです。日本の場合は、麻薬ではないですが、食事を通していろんな方面から薬物を入れてくる可能性があるということです。ゲノム編集された食や、レプリコンが日本人に止めをさすでしょう。日本では、ますます死亡率とターボがんが増えるでしょう。

細川　だから解毒がこれから必須になります。肝臓で代謝することを解毒と言います。毒素を入れないことはもちろんですが、それより早く出すということが大切です。これからの時代は足し算ではなく、引き算です。サプリだって何千種あります。全部買ったら破産します。すなわち、足し算ではなく引き算、出すということが大事です。

complete collapse ❺ 毒出しのヒーロー!? 日本で初めての引き算のサプリが登場している!?

添加物だらけの加工食品は食べない！
とにかく自分で選んで自分で作る！　そして毒を出すこと!!

並河　人間の体は自然に大便、小便、目脂、フケなどで毒素を出しているのです。自然に出せるから、私は自力自然治癒力と呼んでいます。

一方、自分で出せなくなっていて、他人の力を利用して出すことを他力自然治癒力と呼んでいます。気功や足ツボ、音楽、温泉などによって毒素を出せばいい。

実際に私の患者さんには、20年間薬を飲んで、アトピーがひどかったが、他力自然治癒力を活用して、綺麗に出たのです。乳製品の工場長を務めていた方がいましたが、頭の中に直径2㎝ぐらいの腫瘍みたいなものが出来ていました。私が気功や足ツボをやって差し上げたら、頭部から染み出てきて、フケの塊が出てきました。

顔にも不純物がニキビとして出てきて、口からは大量の血が何度も出てきたのです。そのときはしんどいですが、薬を出すことは可能なのです。

坂の上　足ツボを含めて色々対策ができると思います。日々の食を気にかけて、できるだけ種があるものかつ、無農薬のものを選ぶということが非常に重要かなと思います。

細川　加工食品を食べないことです。自分で料理をして作って食べるということを心がけてください。日本の食品添加物は2500種類以上です。欧米は300種類で制限されています。比較すると8倍です。毒まみれです。食べたものは出す。出さないといけないのです。しかし、食品添加物を大量に摂取している人は独特の匂いがします。メンタルの分野でも、すぐに心療内科に紹介されて児童相談所に行き、すぐ精神科送りにされて抗精神薬を小学生も飲んでいるのです。

私たちは絶望を知ってしまった！
これからどうするのか希望を語っていこう!!

並河　中学3年生の男の子が私の施術に来られました。その男の子は学校に行けなかったのです。もともとうつ病で薬をたっぷり飲んで、小学5年のときからお菓子をたくさん食べていました。

成長期の中、中学生高校生になっていくわけです。そうすると成長期の男性のシンボル、生殖器に薬物が吸収されてしまうのです。私が施術をしたときに、男の子の生殖器の周りにべっとりと黄色いバターチーズの色、そして白い粉や薬が付いていました。

坂の上　そろそろまとめに入らなければいけませんね。はい、現状の総括をして、そしてこれからどうなるかっていうことも言っていきました。そして暗い話で絶望で終わりたくないので、やはり希望で終わりたいということで、やっぱりそうじゃないとやっぱりダメだと思うのです。希望で終われないなら、私は語るべきじゃないと思っているのです。だって無責任じゃないですか。だったら知らなかったほうがマシなのです。楽しく信じたほうがいいわけじゃない。だけど知った以上はどうすればいいのっていうことなのです。

結核菌の新型が次に来る‼
金に目がくらみ、わかっていて人殺しに手を貸した医者がいる⁉

細川　勝負はもう終わりました。2回ワクチンを接種した段階でほぼ決まっています。3回目で終了なのです。だから言わなくなりました。全国有志医師の会も3回まで日本国民にワクチン接種を推進していました。

私も参加しておりますけども、九州有志医師の会の代表は私です。２０２２年１月に、誰よりも早く自分から手を挙げました。９割の日本医師会の会員は保険医担当規則に則って開業運営をしているのです。

３回目までのワクチンはほとんどの医者が自分自身も含めて接種していたのです。１割の医者は自分にワクチンを打っていなくて、患者には打っているのです。これは犯罪行為だと思います。一番の犯罪です。

これは確信犯です。

わかっていて人殺しに手を貸したのです。金に目がくらんで行動した医者がいます。医者１人当たり平均して、ＰＣＲとワクチン関連の補助金が３億円ある病院もあります。１００人の医者を抱えている大病院は３００億円売上が補助金を通してありました。

尾身茂は7つの病院の理事長ですので、相当儲かったと思います。今度は、2022年の8月には公益財団法人結核予防会の理事長に就任しました。

すなわち、今度は結核菌の新型が危ないということが予想されます。

もちろんこれは人工生物兵器です。

結核に関する薬が効きませんよと予言しておきたいと思います。これが今一番、私細川が皆さまに伝えたいことです。

さらにお伝えすると、これからの時代で大切な考え方は、足し算・掛け算よりも引き算・割り算です。サプリは何千種類とございますが、足すことよりも、捨てることです。引くことなのです。

引き算のことをしっかり実践しないといけません。引き算をさせてくれるサプリというのがあるのです。不要な毒、化学物質を解毒します。

坂の上　その解決策の1つが、コンドリです。これはおそらく日本で初めての引き算のサプリです。今まで、例えば目が悪かったらルテイン、ポリフェノールなどを足してきたと思いますが、何も足さないアプローチのサプリメントということです。すなわち体内に入った毒や重金属、酸化グラフェンを綺麗に除去して体外に排出しましょうというものです。

細川　急がないとやばいです。皆さんシェディングが起きています。たくさんの日本人はワクチンを接種しています。周りの人にワクチン打っている人が多いですよね？　シェディングは、直接死には繋がりませんが、早く老けて病気しやすくなります。

これから健康的にエネルギッシュに生きていくために、勉強してください。並河先生は足ツボ、食事指導、気功を通じて、数十年、学習塾もしながら、本当に何万人という人を助けてこられました。特に何かしらの末期の病気の方の最後の砦みたいな存在です。足ツボと気功、食事指導はとても大切なのです。

坂の上　コンドリは細川先生のところのクリニックでも処方しております。ヒカルランドのＷｅｂサイトでも通販しています。

細川　コンドリはドラッグと言ってもいいレベルだと思いますが、処方しにくくなるので、サプリメントとして販売したほうがいいのです。きちんと用法用量を守って取り入れてみてください。

坂の上　先ほども先生が言ったコンドリとか、並河先生の足ツボとか、こういったものを活用しながら毒を出していくということが必要かなと思います。

カリウムとナトリウム、アルカリ性と酸性を使い分ける⁉
栄養の知恵はやはり伝統にあり‼

並河　やはり日本の風土が火山の国ですから、酸性土壌です。アルカリ性のもの、すなわち海の幸、これがすごく大事なのです。海藻、そして豆。豆が大事なのです。豆の形。芽の形になっている。

らっきょう、にんにく。大豆だってもちろん使い方によります。蕎麦、蕎麦粉には、芽がついている。玄米にもついている。そういうものも大事。

そして、あと昔から皆さんも聞いたことがあると思いますが根っこのもの。ゴボウ、ニンジン、大根。尖った根ものはダイヤモンドみたいなものなのです。

だから高麗人参は価値が高い。根っこのあるものはすごい。ところが、ジャガイモは地面の下で平行に横に増えていきます。

宇宙をイメージして、例えば人間は頭が物を考える陰性、脚が歩くから陽性としますね。陰の頭は昼間は太陽が出てくるからプラスとマイナスで引っ張られて立っています。闇が落ち着くと、闇がマイナスの世界。マイナスと頭のマイナスで反発して寝るようにできているのです。

そのように、宇宙というのはそういう陰と陽があります。

例えば、大豆1つ。大豆の皮は陽。中身が中。液体の豆乳が陰性食品。陰を陽にするには、光を使う。火を使う。塩を使います。そうすると、陽に変えられます。だからスイカに、スイカというカリウムの多い陰性食品、トマトという陰性食品、バナナとか陰性食品、こういうものには塩をかけると良いです。おそらくバナナも、アジアのものでしたけれども、あと100年経てば日本に定着したらきっと誰かさん、バナナに塩をかけている人が出ると思います。カリウムには塩なのです。

昔から、トウモロコシもカリウムが多いから塩。ナトリウムです。実は、ほとんどの食べ物はカリウムばかりです。そこで、それでカリウムとナトリウムは人間の脳の神経細胞に重要な働きがある。ナトリウムは車で言えばアクセル。カリウムは車で言うとブレーキ。そのバランスなのです。カリウムが多くなると、静かになる。そこで、減塩させたほうが、国民が静かになって「マスクしろ」って言ったら「はい」って聞く人間になるのです。

例えば、日本で使っている昔から良いと言われている食べ物。おかゆでも何でも、ヨーロッパでもそうなの。ヨーロッパの人も、それに気づいているらしくて、バターとかチーズもこの物差しで見ると、バター、チーズ、良い食品なのです。

ところが、タンパク質という物差しを持ってきて、タンパク質過剰になっちゃったなという世界に来たときに、バターやチーズは過剰です、と言っているのです。バター、チーズが悪いのではなく、どの物差しで見るかによって変わるのです。私の本には、そういうことが書いてあります。私以外誰も書いていません。

徳川家の御殿医の流れから、陰陽を知り、食を選ぶということをずっと聞かされて育ったのです！

並河　私の先祖は徳川将軍家の分家で御殿医である一橋家でした。小さいときから色々聞かされていました。

それで、そのナトリウム、カリウム比率理論、あと酸性食品、アルカリ性食品比率理論を発表したわけです。そこで、ジャガイモでもサツマイモも、なぜ横を向いちゃうかわかります？

カリウムはたっぷり陰性食品。地面は暗いから陰に行かないです。ずっと潜っていくゴボウ、ニンジンは野菜の中では陽性食品。皆さん陽と陰と間違えないでください。固定的じゃないです。相対的なのです。

要するに、お肉に比べると野菜はもちろんカリウムだから陰性食品。陰性食品の中でも赤いニンジン、赤とかこういうのは陽性の野菜。葉っぱ系は陰性食品です。だから、今の若い人たちは葉っぱにレタスにドレッシングかけて食べているでしょう。あれじゃあダメなのです。

ゴボウ、ニンジンを、味噌に入れてとか。塩けのあるものに、糠に入れて食べる。昔の人はそういうのをやっていた。これには日本の風土が関係している。

ヨーロッパは、ベルサイユ宮殿を見ればわかる通り石の文化ですから。石灰はカルシウム。アルカリ性食品。だからアルカリ性の水が溶けていてカルシウム豊富だから硬水。日本は塩水で軟水。

そうすると、ヨーロッパは硬水で硬いから、それを野菜にまくと、野菜がアルカリ性が強い。

だから、彼らはアルカリ性の大地で、アルカリ性の水を飲んでいるから、肉という酸性を摂ってもやられにくい。こういうことを言う人は誰もいません。

カロリーを超える!?　陰と陽で見る「食の真実」とは!?

並河　ほとんどの学者が今言われているのは机上の空論。カロリー理論が多い。カロリーは学問で言えば偏差値のようなもの。偏差値が高い子は、想像力があるとは言えないです。

細川　ただのカロリーベースの計算の栄養学は、もうやめてもらいたい。あんな幼稚園児みたいな。

並河　そうです。カロリー学は、１００グラムの肥料を０度、１気圧で燃やしたときに出た熱量で計算するの。ところが、私たちの身体はいろんなものを組み合わせて食べている。私たちの身体は0度じゃなくて36度。1気圧ではない。だから全然当てはまらない。カロリー計算は、あれは、机上の空論の理論。まぁ全然役立たないわけじゃないです。

だから、そういうことを知らないで、皆さん学者たち発表しているの。でももっと地べたにくっついた視点で、大地がどうか、日本の風土がどう違うのかを見ないといけない。

北極圏は寒いでしょう。陰の国だから陽の肉を、生肉を食べても良いの。一方で、アジアの暑い国はね、暑いから陽の国、そこで陰の果物、バナナとかパイナップルが多いのはそういう理由です。もっとそこを皆さん勉強してみてください。

坂の上　へぇー！　全然知りませんでした。あぁそうなんですか。

並河　私の本を読んでないでしょう（笑）。

坂の上　食に陽と陰があるって知らなかった。

並河　『体内戦争』をぜひ、皆さん読んでください。

伝統が育む、長寿の秘訣！
昭和30年代へ回帰して、その生活を学ぶのです!!

細川　27歳で、並河先生はそういう仕事をされました。横浜市の医師会の会長に非常に可愛がられておりました。可愛かったと思います。27歳当時。

並河　顔も可愛かった（笑）。

細川　非常に可愛がられておりました。そのころの日本の西洋医学というのはまだギリギリ良かった。

その後、どんどん、この40年でおかしくなりました。おおかた50年ですけど。とうとうここまで来たわけです。

フランス料理、ドイツ料理、必ずジャガイモが入ります。これでバランスを取っているわけです。米は嫌でしょう、向こうの人は米を喜びません。糖質過多になるとか何とか、そのまま真に受けちゃいけません。日本人の皆さんは、もう西洋かぶれやめてください。

明治維新から、猿真似ばっかりして身分差別までしました。だから、江戸時代に戻るべきだと。せめて昭和30年の食生活。食べ方。遊び方。働き方。これを昭和30年、1955年に戻っていただきたい。そのころの資料を見てください。

そのころの生活を垣間見《かいまみ》てください。古本屋に行って映画を見るなりして。じいちゃん、ばあちゃん、ひいじいちゃんに聞いて、そのことを実践していただくことです。どうかひとつ、皆さん長生きをしていただきたい。

長く息を吐くと。吐けば吸えますから。
呼吸は呼が先で、吸が後です。吸呼ではありません。ケチるな、吐くことを。

坂の上　わかりました（笑）。

complete collapse
❻
アラブ、インド、中近東、北アメリカの人たちの天国のイメージ——それがこの国日本だったのです!!

笑いと喜びで、日々を彩る。幸せは、今ここにある!

坂の上 では、そろそろ終わりの時間になってきました。じゃあまとめていきます。今日は長時間にわたり、本当に皆さまありがとうございました。今日無事この鼎談《ていだん》を終えることができて、とても嬉しいです。なんとか、まとまったなと思っています。良かったなと思っております。

取り留めのない話で終わったらどうしようと思ったのですが、きちんと1つの起承転結がついたかなと思います。これから、大変な時代が来るかもしれない。でも、私たちは関係ない。本当に最後は、これが言いたかったのです。私たち一人一人は、自分の意志の力で、自分の明日を作る能力があります。

もう毒が撒かれているから、じゃあオーガニックしか食べない、とかそういう極端なことじゃなくて。とにかくあの方々に勝つには、私たちが今この瞬間幸せであることだと思います。

喜びに満たされることだと思います。だから笑いましょう。そして喜びましょう。

そして喜ぶことも笑うこともないって言うのだったら、いっぱいあるから。青空は美しいじゃないかとか、雨が降ったら、この雨が降ったら作物が育つじゃないかとか。

日本が悪い国だ、悪い国だって、確かにそうなのです。

しかし、私は、やっぱり海外が長いから。あちこち旅してきていますから、やっぱり日本は良い国です。外から見たらね、この国は宝物なのです。四季にあふれ、本当に何を食べても美味しいし、しかもそんな高くなく美味しいものが食べられる。ラーメン1杯でも美味しい。水もちゃんとある。私はアラブやインドや中近東、イスラエルにもいました。彼らの天国のイメージってなんだかわかります？ 北アメリカの人たちの天国のイメージ。日本なのです、皆さん。深い森があって、小川が流れていて、木漏れ日がさしてきて、もうまさに日本なのです。だから、我々は中近東やアフリカの方々の、インドの方々の天国に住んでいるわけです。

もちろん文句を言いたいことはいっぱいあるでしょう。政府がどうだ、誰がどうだ、麻生がどうだ、何がどうだってあるけれども、でも、結局日本に生まれてきて、日本で育っている、育ってきたことの恩恵もあったはずなのです。これだけ交通網がしっかりしていて、これだけ遅れずに電車が来て、それだけチャンスもあったはずです。皆さんだって、仕事をくれた会社だってあったはずです。経済力だってあったはずです。日本で良い思いをいっぱいしたはずです。

日本人で良かったのです。

政府とは関係なく、共に試練を超え、新しい文明を築く！
かけがえのないこの国日本から!!

坂の上　だから、日本に生まれてきたことは奇跡だと思う。だからあんまり、日本に文句ばっかり言ってはいけない。実際、インドの人たちは日本を尊敬していますから。日本が戦ってくれたから、アジアは解放されたって教えていますから。本当にそんな国なのです。かけがえのない国なのです。アラブは俺たちのアラブには、日本がいなかったからこんなことになっていると言っています。

だからいまだに、日本はそういう尊敬されるすごい国なのです。だから、あまり自信を落とさないで、やっぱり日本人が日本の文化や精神を取り戻すときが来たなと本当に思います。各地域で、皆でコミュニティを作って、物々交換をやっていきながら生き延びていきましょう。政府とは関係なく生き延びていくことが必要なのです。

あと10年くらいは、京都から始まる新しい地球文明へと移行する過渡期の間は、たぶん試練が続きます。しかし、そこを耐え忍べば、ちゃんとまた新しい日本、新しい文明を作っていけます。地球を平和にする新しい文明は京都から始まりますが、そこまで生き延びないといけないので、パンデミックも生き延びないといけないので、皆で助け合って生きないといけない。だから名字の違う人たちが、家族のようになって、助け合って生きるときが来たのです。

この中に、医者もいる。治療家もいる。ピアニストがいてもいなくてもどうでもいいかもしれないけど（笑）ピアニストもいる。いろんな人がいる。料理を作る人もいる。技術者もいる。編集者もいる。皆で協力し合えば、この中だけだって何かできるじゃないですか。

だから、そういったことを各地域でこれからしていけば良いのです。生産者も入れて、運搬する人も入れて、料理する人も入れて、皆で回して物々交換をしていくってことが大事。

細川 アーティストが一番大切ですよ。

坂の上　そうですね。ありがとうございます。嬉しい。

細川　先頭に立つのはアートです！

坂の上　なんかね、ピアニストが。

並河　波動が変わるから、波動が。

坂の上　ああ、そうですね。

並河　今、波動の時代です。

坂の上　私は、もうそろそろピアニスト、歌い手に戻っていこうと思っています。私は過去10何年も、ジャンヌ・ダルクと勝手に呼ばれて、そういうふうな印象を与えたのでしょう。

でも、気がつきました。真実を伝える講演だけでは日本を変えることはできないと。もちろん、依頼されたらやります。だけど、一番人々の心を掴んで、一番良いのは、音楽じゃないかって最近思うようになったのです。だから、本当に心から人の心を打つ歌を歌おう。本当に心から人の心を打つピアノを弾こうと。だからもう私は音楽家に戻ります。そして、皆さんと、一緒に、どこかで1回ちょっと大変なことになってしまいましたけれども、今エコビレッジを皆で作って屋久島でも良いし、福岡でも良いし、熊本でも良いし、皆で岡山でも良いし、京都でも良いし、兵庫でも良いけれども、皆でね、そういうのを作って、幸せな村を作りたいなと思います。

分裂ではなく、結束を！
お金持ちと非お金持ちの間に大きな溝はあるけれど!!

坂の上　やはり皆の世界を作ると思って、頑張りましたが、極めて厳しいということがわかりました。でも、これはアメリカで回答が出ていることだったのです。アメリカでもお金持ちたちが、そこにお金出して、コミュニティを作って色々してきたのですけれども、お金持ちと非お金持ちの間で、大きな溝、考え方の溝、行動パターンの違いとか色々あって、結局お金持ちだけが頑張って、そしてお金も出していろんなことをやって、そして最後は疲れ果てて、そうじゃない人たちから非難を浴びて、分裂するというのがありました。もうわかっていることなのです。

うちにもそのように、それに似たようなことが起きたってことなのです（笑）。でも、諦めたわけじゃありません。私がこれで学んだので。私も改善しなきゃいけない点も、学ぶ点も、成長する点もいっぱいあります。今度は、やっぱり自立と共生です。共生社会を作ろうと思った。皆で生きる社会を作ろうと思った。

けれども、そのためには精神的な自立と経済の自立がどうしても必要でした。それがなくて依存型とか指示待ちとか、それだと難しかったってことがわかりました。普通の人々とのおつき合いがなかった私には、初めてまじわる人々でしたが、かなりのギャップに愕然としました。いわゆる普通の人々にかなり傷つきました。私の理念のコミュニティは、社会で行く場もない生活に困った貧しい老人に内部から、つぶされました。困りました。

人に傷ついたので、心がズタズタにされましたから、まぁやらないかもしれませんけれども、今度やるときには自分がまずはミュージシャンとして、音楽家として、ピアニストとして、歌手として、もっとこう世に出て、旗振り役になって、そしてこの人は大丈夫だっていう人をちゃんと人を見極めてやっていきたいと思います。

そこに未来はあるのか⁉ 首都圏移転には理由がある‼

坂の上 あんまり、それも言うと語弊があってですね。やっぱり本当にそうなのです。なんで首都圏移転って散々言われているかというのは理由があるのです。

やはり大きな地震が、関東に来ると思われます。そして東日本にまた地震、言っちゃいけないのですが、東日本に住んでいる人もいるじゃないかってことで言えないのですが、かわいそうなことに、そのようなことになると思います。

なので、これから西に行ったって安全ではないですが、しかし、とりあえず西に行こうということで。できれば兵庫県。丹波のほうも良いと思います。さらにできれば岡山から向こうですね。

兵庫県は、西日本で一番有機農家が多くて、そして結構土地が、いっぱいあります。京都の真ん中も良いです。京都は坂上田村麻呂と桓武天皇たちが、千年持つということで結界を張ってあって、あそこだけは結構大丈夫。

そうですね。いずれにしましても、大変な難関を超えなきゃいけない。だから皆で助け合って生きるしかないです。

あなた嫌いとか、あの人好きとか、この人が、とか言っている場合じゃない。

とにかく皆で助け合って生きるのです。

そういう時代に、それができるか、できないかを試されているのだと思います。これからもう1回ピアニストになって、そしてもう1回自分の歌に感動してくれる人たちと一緒にやろうってことになりました。

そうすれば、きっと今度はうまくいくはずだと思っています（笑）。

まぁ失敗したらリーダーに人望がないものですから、これから頑張ってやっていきます。それで、先ほど細川先生がコンドリのことをおっしゃっていましたけれども、細川先生の一番町クリニックでも扱っています。私はなんでこういうことをやっているかって言うと、実はワクチンSOSっていう組織を、ずっと作って、この何年もずっと、何百人とワクチンを強制された、職業上強制された方々を助けてきたのです。もう命がけでした。ばれたら……ですから。

でも、それでもやらざるを得なかったのです。だから馬鹿でしょう？　そう、馬鹿なのです。誰でも受け入れるし。受け入れた人から、大変な目に遭わされるし（笑）。社会的に行く場もない方々が、やっぱり無料で泊まれて無料で食べられたら来ます。それで、前科何犯とか、びっくりします。でもそういったことになるわけなのです。

でも、まぁ良い経験でした。それで、ワクチンを積極的に打った病院と医師たちは、めちゃくちゃ儲けています。だけど、ワクチンを拒否して頑《かたく》なに打たなかった医師たちもいます。その心の綺麗な医師たちが、それ故にひどい目に遭っていて、全然儲けていないばかりか、とても貧乏なのです。だから、こういう医師たちを助けたいと思って、その方々のところでコンドリを買ってあげてほしいのです。

そうしたらね、そこに収益が入るから。そういうことで、助けたいと思っています。うちのワクチンSOSには12人の医師たちがいますけれども、皆利益よりも人々を助けることを優先してくれて、もう零さんとだったら刑務所入っても良いよって言ってくれた医師たちもいます。死んでしまった医師もいます。本当に頑張ってくれたので、今回は恩返しでと思っています。

日本酒離れを促進したのは、ワクチン効果を高めるためだったのか!?

細川　今日私白ワイン飲んでいますけど、これの3倍の濃度の5－ALAが入っているのが清酒です。日本酒です。日本の酒で、日本酒。舶来の酒、洋酒。この中に焼酎だ、ビールだ、何とかかんとかあるわけでしょう。焼酎だ、ビールだ、ウイスキーだ、ワインだってある。洋酒の中で、清酒に一番近いのが白ワインなのですが、5－ALAは3分の1の濃度です。それと5－ALA、別名でアミノレブリックアシッド、アミノレブリン酸。この2つをこの30年間どんどん、どんどん抑え込んだのです。禁煙、日本酒離れで、全部この30年でベースを作っておいて、とどめがワクチンだったのです。

並河　私も細川先生が言われているものを色々見ていると、国が言っていることが逆かなと思うことがありますね。

特に、今回のコロナワクチンのことを見てわかるように、まず1つ塩は減塩じゃなくて、塩は大切だ。それから半身浴でぬるま湯に入れは反対で、熱いお風呂に入ることが大事だ。

それから先ほど細川先生が述べられたように、お酒とかタバコは大事だ。今回のコロナワクチンを見てわかったことは、細川先生が言われるように自分の頭を使って考えることが大切だということです。本日はありがとうございました。

◆コンドリEC　ヒカルランド

インターネット会員（アフィリエイト）の登録もこちらからどうぞ。

●コンドリ＋ペット＆動物

　　ダシサプリ＆歯周病対策

★なぜインターネット会員に登録したほうがいいのか

（インターネット会員に登録した後、任意で、アフィリエイト登録も可）

単発なら35％ＯＦＦになります。

定期購入コースなら、50％ＯＦＦになります。

（最初の2ヶ月分が初月に届き、３ヶ月目から毎月お届けされます）

アフィリエイトに無料登録すれば、紹介すると手数料が入ります。

★留意点

1．インターネット会員は誰でも無料で登録できます。

2．アフィリエイトは、インターネット会員登録後に、ご自身のＩＤとパスワードでログインして、ご自分の管理画面（左上の三本線をクリック）に入りますと登録が簡単にできます。登録は、5分程度で終了です。とても簡単ですが、わからない場合は左記のページを見て、手順を追って、ご登録ください。

★農薬不使用、除草剤無し、遺伝子組み換え無し、安心安全な食材を目指すＮＡＵ

ＮＡＵオーガニック市場（業務用オーガニック直売マーケットＮＡＵ）

http://naumarket.com

◇コンドリ購入ができる医療機関

●ワクチン後遺症外来（ワクチン被害者の救済、ガン治療）
一番街診療所　細川博司院長
福岡県久留米市東町25の30　２Ｆ
ＴＥＬ：０９４２－４６－０１７７

一番街診療所　http://1bangai.jp

●ほんベクリニック（眼科、内科、統合医療）
愛知県名古屋市中村区名駅３丁目24の14、５階
ＴＥＬ：０５２－５６１－３２８６
ほんベクリニック　https://honbe-clinic.jp

●小林クリニック（内科、泌尿器科、在宅医療）
兵庫県神戸市東灘区御郡家1の30の17
TEL：078－846－5330
小林クリニック　https://kobe-kobayashiclinic.com

●白川太郎　医療カウンセリング
FAX：03－6811－0421
ファックスにて、お名前、お電話番号、ご住所、メールアドレス、ラインIDとリンク（QR）（ないなら不要）を明記の上、症状、ご用件を端的に短めに書いてください。ご連絡があるまで時間がかかる場合があります。事前にご了承ください。

並河俊夫（Toshio Namikawa）

横浜市立大学理学部数学科卒業後、高校で数学講師としてのキャリアをスタート。教育への熱意から、修育会並河塾を設立し、塾経営も行う。1971年より、健康論・食事論・教育論を独自に研究し、著書出版や講演活動（150回以上）、TV出演を経て、2001年には博士号を取得。先祖が徳川家（一橋家）の御殿医であった影響で、東洋医学にも深い興味を持ち、気功法を含む複数の東洋科学健康療法を米国で認証される。

並河式：足食気功法を中心に、足裏マッサージ、健脳食、気功法、整体、生活習慣改善、電気治療、低遠赤療法、光治療などの健康法を指導。趣味は硬式テニス、旅行、ゴルフ、音楽鑑賞、算命学、尺八（琴古流尺八師範）、美食会。位相幾何学（トポロジー）を専攻し、食・教育・健康コンサルタントとしても活躍。主要著作に『体内戦争』、博士号論文『580年間に作られた脳』、『Human Lifespan is 660 Years』などがあり、日米協会ハワイ支部元理事、日本ユネスコ協会元連盟維持会員としても貢献。

細川博司（Hiroshi Hosokawa）

1960年1月17日生まれ。一番街総合診療所院長（久留米市）

「切る」「焼く」「盛る」の三大標準癌治療にいち早く疑問を唱え、治し防ぐ癌治療を目指す。癌細胞は摂氏41度で死滅し始め、摂氏42.5度以上では細胞生命を維持できないことに着目し、温熱療法とは違う周波数で、短時間、ピンポイントで癌細胞を撲滅するSHT（スーペリオール・ハイパーサーミア・セラピー）を導入する。

一番街総合診療所では、癌細胞にSH波を照射することによって、免疫賦活効果・活性酸素除去効果・異常血管増殖阻止効果により癌細胞を壊死させます。

日本内科学会・日本臨床内科医会・日本臨床薬理学会・日本抗加齢医学会等に所属。

主な専門分野は内科・循環器内科・抗加齢医学。

坂の上零（Rei Sakanoue）

1972年1月25日兵庫県生まれで、幼少から独自の世界観を持つマルチタレント。3歳でピアノを始め、自作の物語に即興演奏をつけるなど、芸術への深い興味を示す。

上京後、ジャズピアニストとしてのキャリアをスタートさせ、広告や映像制作での音楽性と独創性が高く評価される。インドでの経験は人生に深い影響を与え、日本とインドの文化的架け橋としての役割を果たす。

マザー・テレサからは、その名を冠した音楽を創作する唯一の許可を得た。また、国際金融とITシステムの分野では、革新的な金融システムや電子マネーの開発に貢献し、日本社会の新たな可能性を切り開く。

政治経済のライターとしても活躍し、新自由主義の問題点を批判。音楽、IT、金融と多岐にわたる分野で影響を与え続ける坂の上は、持続可能な社会と経済的自立を目指し、次世代のリーダー育成に注力している。

日銀も17省庁も
日本国家は終了しました！
解体の衝撃に巻き込まれない生き方をしよう

第一刷　2024年5月31日

著者　細川博司
並河俊夫
坂の上零

発行人　石井健資
発行所　株式会社ヒカルランド
〒162-0821　東京都新宿区津久戸町3-11　TH1ビル6F
電話　03-6265-0852　ファックス　03-6265-0853
http://www.hikaruland.co.jp　info@hikaruland.co.jp
振替　00180-8-496587
本文・カバー・製本　中央精版印刷株式会社
DTP　株式会社キャップス
編集担当　ソーネル

ISBN978-4-86742-377-6

ヒカルランド　好評既刊！

地上の星☆ヒカルランド　銀河より届く愛と叡智の宅配便

日本は終わった！　世界も終わった！
あなたが生き残る「ただ一つの方法」
著者：プーチン佐藤／坂の上零
四六ソフト　本体 2,000円+税

裏天皇とロスチャイルド
著者：嘉納道哲／坂の上零
四六ソフト　本体 2,000円+税

日本人が発案した
「自然栽培」で地球を救っていく！
世界中の希望を乗せてアースセイバー号発進せよ！
著者：坂の上零／高野誠鮮／池田整治
四六ソフト　本体 1,800円+税

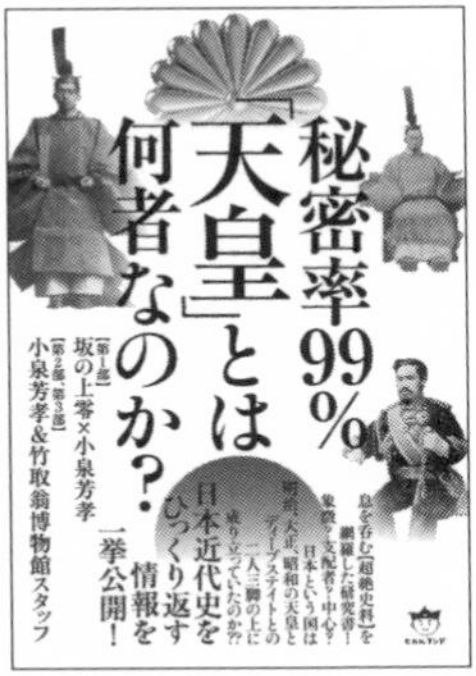

秘密率99%「天皇」とは何者なのか？
著者：小泉芳孝／坂の上零
四六ソフト　本体 3,000円+税

金融崩壊をサバイバル
坂の上零の地球を救うホップ・ステップ・ジャンプ！
著者：坂の上零
四六ソフト　本体 3,000円+税

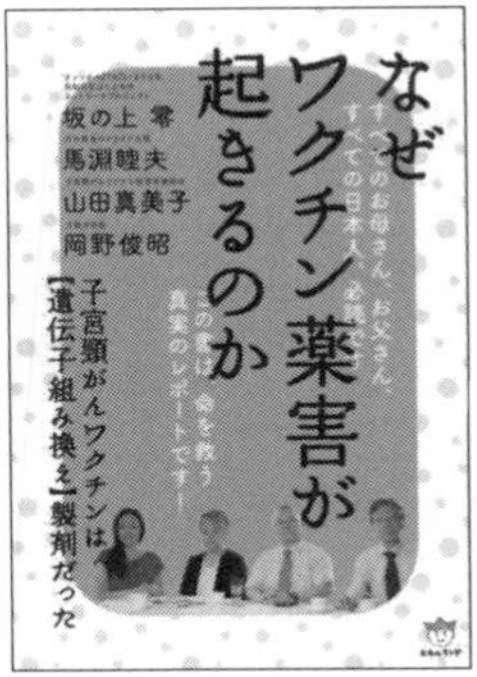

なぜワクチン薬害が起きるのか
子宮頸がんワクチンは【遺伝子組み換え】製剤だった
出演者：坂の上零／馬渕睦夫／山田真美子／岡野俊昭
四六ソフト　本体 1,815円+税

不思議・健康・スピリチュアルファン必読！
ヒカルランドパークメールマガジン会員とは??

ヒカルランドパークでは無料のメールマガジンで皆さまにワクワク☆ドキドキの最新情報をお伝えしております！　キャンセル待ち必須の大人気セミナーの先行告知／メルマガ会員だけの無料セミナーのご案内／ここだけの書籍・グッズの裏話トークなど、お得な内容たっぷり。下記のページから簡単にご登録できますので、ぜひご利用ください！

◀ヒカルランドパークメールマガジンの登録はこちらから

ヒカルランドの新次元の雑誌「ハピハピ Hi-Ringo」
読者さま募集中！

ヒカルランドパークの超お役立ちアイテムと、「Hi-Ringo」の量子的オリジナル商品情報が合体！　まさに“他では見られない”ここだけのアイテムや、スピリチュアル・健康情報満載の１冊にリニューアルしました。なんと雑誌自体に「量子加工」を施す前代未聞のおまけ付き☆持っているだけで心身が“ととのう”声が寄せられています。巻末には、ヒカルランドの最新書籍がわかる「ブックカタログ」も付いて、とっても充実した内容に進化しました。ご希望の方に無料でお届けしますので、ヒカルランドパークまでお申し込みください。

＼量子加工済み♪／

Vol.6 発行中！

ヒカルランドパーク
メールマガジン＆ハピハピ Hi-Ringo お問い合わせ先
- お電話：03－6265－0852
- FAX：03－6265－0853
- e-mail：info@hikarulandpark.jp
- メルマガご希望の方：お名前・メールアドレスをお知らせください。
- ハピハピHi-Ringoご希望の方：お名前・ご住所・お電話番号をお知らせください。